La rouquine

ŒUVRES PRINCIPALES

La Lumière des justes :
I. Les compagnons du coquelicot
II. La barynia
III. La gloire des vaincus
IV. Les dames de Sibérie
V. Sophie ou la fin des combats
Les Eygletière :
I. Les Eygletière
II. La faim des lionceaux
III. La malandre
Les Héritiers de l'avenir :
I. Le cahier
II. Cent un coups de canon
III. L'éléphant blanc
Tant que la terre durera :
I. Tant que la terre durera
II. Le sac et la cendre
III. Étrangers sur la terre
Le Moscovite :
I. Le Moscovite
II. Les désordres secrets
III. Les feux du matin
La neige en deuil
Le geste d'Eve
Les ailes du diable
Faux jour
Le vivier
Grandeur nature
L'araigne
Judith Madrier
Le mort saisit le vif
Le signe du taureau
La clef de voûte
La fosse commune
Le jugement de Dieu
La tête sur les épaules
De gratte-ciel en cocotier
Les ponts de Paris
La case de l'oncle Sam
Une extrême amitié
Sainte Russie
Réflexions et souvenirs
Les vivants (théâtre)
La vie quotidienne en Russie au temps du dernier tsar
Naissance d'une dauphine
La pierre, la feuille et les ciseaux
Anne Prédaille
Grimbosq
Un si long chemin
Le front dans les nuages
Dostoïevski
Pouchkine
Tolstoï
Gogol
Catherine la Grande
Le prisonnier n° 1
Pierre le Grand
Alexandre Ier, le sphinx du Nord
Le pain de l'étranger
Ivan le Terrible
La dérision
Marie Karpovna
Tchekhov
Le bruit solitaire du cœur
Gorki
Viou
A demain, Sylvie
Le troisième bonheur
Toute ma vie sera mensonge
Flaubert
La gouvernante française
Maupassant
La femme de David
Nicolas II
Zola
Aliocha
Le chant des insensés
Youri
Verlaine
Le marchand de masques
Balzac

Henri Troyat
de l'Académie française

La rouquine

et autres nouvelles fantastiques

Librio

Texte intégral

LE GUÉRIDON

Ferdinand Pastre s'éveilla au petit jour et sentit, avec une précision intense, qu'il avait envie de se gratter le nez. Les volets clos maintenaient dans la chambre une obscurité puissante et casanière. Une horloge vivait à petits battements ennuyés dans le couloir. Un robinet mal vissé pleurnichait dans la salle de bains voisine. Ferdinand Pastre renifla voluptueusement l'air chaud et viril de la pièce et porta un doigt paresseux à la narine qui lui démangeait. Mais le doigt, mal dirigé sans doute, ne rencontra que le vide. Ferdinand Pastre grogna un juron limoneux et approcha de nouveau sa main engourdie de son visage. Et, de nouveau, la main se referma sur une absence épouvantable d'appendice nasal. La peau, les cartilages, l'ossature de cette excroissance plastique, dont il tirait une juste vanité, avaient fondu comme une vapeur matinale au souffle de la brise. Le nez de Ferdinand Pastre n'existait plus. À la place de son nez, il y avait ce trou, cette plaie indolore, cette petite vrille d'air libre et de transparence où son bras plongeait et remuait jusqu'au coude.

L'angoisse disloquait le cœur du malheureux. Une sueur d'agonie lui coulait sur le visage et le long des cuisses. La salive engluait sa langue. Et il n'osait plus bouger, car il redoutait que le moindre geste ne lui révélât quelque conséquence imprévue et terrible de son infirmité. À la longue, toutefois, son esprit scientifique et délié de comptable aux Établissements Bouche et Tournoy, sous-vêtements en tous genres, disciplina les pensées troubles de la première heure.

— Je suis un imbécile, dit-il avec force.

Et, se levant d'un bond, il passa dans l'antichambre où se trouvait une grande glace murale. La glace était fixée à même la cloison, entre deux étagères chargées de livres. Elle était belle, froide et neuve, sans une chiure de mouche, sans une déchirure de tain.

Ferdinand Pastre s'arrêta devant elle et frémit de la tête aux pieds. Il était « devant » la glace, mais il n'était pas « dans » la glace. La glace refusait son image, ignorait sa présence et reflétait, avec une insolence paisible, un fond de pièce inhabitée, un bahut stupide et des patères encombrées de manteaux. Entre le miroir et le mur d'en face, il n'y avait personne.

Justement inquiet, Ferdinand Pastre haussa les épaules et retourna dans sa chambre.

Le spectacle qu'il vit alors figea le sang dans ses veines et arrêta sa respiration. Ferdinand Pastre, debout au centre de la pièce, regardait Ferdinand Pastre étendu sur le lit. Oui, sur le lit, un corps, qui était celui de Ferdinand Pastre, reposait dans l'attitude raide et noble du sommeil. Le visage du dormeur était jaune comme la cire vierge, et sa moustache avait l'air d'une rognure d'étoupe. Les narines étaient pincées à se rompre. La mâchoire pendait. Aucun souffle ne soulevait la poitrine découverte et moussue. Dans un frémissement atroce, Ferdinand Pastre comprit qu'il avait son propre cadavre sous les yeux.

— Je suis mort, murmura-t-il.

Et c'était vrai. L'individu qui se déplaçait dans cette chambre n'était que le fantôme de celui qui gisait sur la couche. Ferdinand Pastre n'appartenait plus au monde des hommes. Les prunelles humaines ne pouvaient plus le voir sous son nouvel aspect, les oreilles humaines ne pouvaient plus entendre sa voix astrale, les narines humaines ne pouvaient plus déceler son odeur fanée, les mains humaines ne pouvaient plus palper sa forme idéale et le miroir, qui était une invention humaine, ne pouvait plus refléter son image. Les vivants existaient pour lui et il n'existait plus pour les vivants. C'était incontestable et monstrueux.

Ferdinand Pastre se laissa descendre sur une chaise, en face de son corps inanimé. Et, de la main, il touchait ce front dur et froid qui avait été le sien, ce nez épais, ce menton volontaire, ces joues creuses, tout ce visage qu'il avait aimé, et dont il serait privé, désormais, jusqu'à la consommation interminable des siècles. Il s'attendrissait à retrouver cette petite verrue au coin de sa bouche, cette touffe de poils dans sa narine, qui étaient les défauts charmants dont il se plaignait jadis. Il lui semblait, par moments, veiller le dernier sommeil d'un ami très cher dont le passé avait été intimement mêlé au sien.

— Mon pauvre vieux, dit-il. On nous a séparés. Nous qui ne faisions qu'un. Nous qui vivions l'un par l'autre, l'un pour l'autre, voici que nos destins s'écartent. Tu t'en vas. Et moi je reste...

A ces mots, Ferdinand Pastre se mit à pleurer. Il s'apitoyait sur sa propre mort, car il savait ce qu'il perdait en se perdant.

— Pourquoi suis-je mort en pleine jeunesse ? J'avais quarante ans. Un avenir brillant m'était promis aux Établissements Bouche et Tournoy. J'étais sur le point de tromper ma femme avec l'exquise Louisette Poupard et, tout à coup, la mort. Plus de bureau, plus de femme, plus de Louisette... Rien... Rien... Je suis un fantôme !

Il s'arrêta, retourné par la consonance lugubre de ce mot : un fantôme ! Il était devenu un de ces fantômes, dont il parlait jadis avec une légèreté coupable. Qu'était-ce, au juste, qu'un fantôme ? Que faisait-on, au juste, quand on était un fantôme ? Il vibra d'appréhension à la pensée des épreuves que lui vaudrait peut-être son nouvel état. Déjà, il se faisait peur à lui-même. N'allait-on pas le recouvrir d'un drap, le charger de chaînes sonores et le poster dans les caves glaciales de quelque vieux château ? Il n'y avait pas de raison pour que les spectres échappassent à certaines obligations administratives. Les esprits subtils de ce nouveau monde n'avaient-ils pas été, à l'époque de leur existence charnelle, des instituteurs, des ministres, des commerçants, des contribuables, des adjudants ponctuels et féroces ? Les plus qualifiés d'entre eux avaient dû, de longue date, établir une règle sévère à laquelle tous les habitants de l'au-delà conformaient leur démarche, sous peine de châtiments d'autant plus effrayants qu'ils ne se limitaient pas à des peines corporelles.

Ferdinand Pastre rêva un instant à l'organisation immense de ce pays de mort, à l'architecture vertigineuse de cette société sans âge, à la police mystérieuse de cet univers auquel il venait de naître et qui serait le sien pour l'éternité des années. Son esprit de comptable, friand de chiffres, de statistiques et de courbes, appréciait à sa juste valeur le monument intellectuel que représentait l'administration de cette collectivité innombrable. Il caressa même, furtivement, l'idée d'une affectation à quelque travail de recensement énorme et méticuleux où il saurait donner la mesure de ses moyens.

Ce fut cette seconde que choisit le réveille-matin pour pousser un tintement grelottant, irritant, interminable. Ferdinand Pastre voulut peser sur le bouton d'arrêt de l'appareil. Mais la pression de son doigt demeurait sans effet sur le mécanisme. Ferdinand Pastre se frappa le front :

— J'avais oublié ! C'est l'aventure de la glace qui recommence ! Je n'existe pas au regard du monde matériel. Mon doigt traverse les objets et ne les commande plus. Quelle stupidité !

La sonnerie du réveille-matin se prolongeait avec des râles métalliques, des soubresauts enroués, des reprises grinçantes, et, dans la pièce voisine, Ferdinand Pastre entendait sa femme qui remuait sur sa couche et poussait des ronflements agacés.

Comme l'appareil s'étranglait dans le cliquetis d'un dernier hoquet, Mme Pastre parut sur le seuil, la tête hérissée de bigoudis et le visage lourd de graisse somnolente. Ses petits yeux pointus clignaient dans la pénombre. Elle cria :

— Tu n'es pas fou de laisser sonner le réveil jusqu'à plus soif ?

Ferdinand Pastre voulut lui expliquer qu'il était décédé dans la nuit, mais il se rappela que sa voix ne pouvait plus atteindre les oreilles vivantes et ne dit mot. Au reste, Hortense Pastre venait déjà sur lui, le traversait bonnement de part en part, et s'approchait du lit où reposait le corps. Ferdinand suivait ses gestes avec une anxiété chagrine.

— Tu vas te lever, savate ! grogna Hortense.

Et elle secoua le bras du cadavre. Puis, elle se pencha vers la couche, posa une main légère sur le front de feu M. Pastre et poussa un hurlement de bête :

— Il est mort ! Un docteur ! Un docteur ! Vite ! Vite !...

Ce fut une matrone démente qui traversa de nouveau M. Pastre, se rua dans l'antichambre, décrocha le téléphone, actionna le disque et se mit à glapir :

— Docteur... Docteur... Un malheur est arrivé !...

Très ému, Ferdinand Pastre s'était rapproché de sa femme et lui tapotait l'épaule doucement.

— Ce n'est rien, bobonne. Ne te mets pas dans des états pareils ! disait-il.

Mais, bien sûr, Hortense ne soupçonnait pas la présence de son mari à ses côtés et trépignait, retenue par la laisse magique du téléphone :

— Mon pauvre mari... Ma vie brisée... Vous pouvez tout pour moi... Prenez votre auto... Il n'y a pas une seconde à perdre...

Puis, elle raccrocha le récepteur et s'effondra sur le coffre de l'entrée, la tête dans les mains et le dos en boule.

Le docteur arriva enfin, comme Mme Pastre décrochait le récepteur pour lui rappeler sa promesse. C'était un homme épais, au visage rouge, à la barbe fauve taillée en collier. Mais son crâne était nu et verni d'étranges reflets d'ambre et de rose. Il s'appelait Bouminaud, et passait pour un grand homme auprès d'Hortense et de sa mère. Après quelques questions rapides, Bouminaud pénétra dans la chambre, marcha sur les pieds du fantôme et s'accroupit devant la couche en poussant un soupir de débardeur languissant. Ayant ausculté le corps de ses mains potelées et tavelées de taches de rousseur, il dit simplement :

— J'arrive bien tard...

Et il sortit de sa trousse une seringue à pointe effilée.

Comme le docteur pratiquait sa première piqûre, Ferdinand Pastre éprouva une titillation terrible dans la colonne vertébrale. Il lui semblait qu'une force mystérieuse le halait vers sa propre dépouille. Il se sentait attiré vers le lit, comme par un fil, comme par un courant d'air, comme par un aimant vigoureux. Il se rapprochait du cadavre. Il allait le toucher, le couvrir, s'y loger enfin... Mais, doucement, les liens se relâchèrent et il devint libre à nouveau de ses mouvements.

— La première piqûre n'a rien donné, dit le docteur. Essayons autre chose.

La deuxième piqûre, la troisième piqûre se traduisirent par le même appel vers le corps, par le même tiraillement, et par la même rupture désolante. En vérité, les drogues de Bouminaud se révélaient incapables de rapatrier l'âme de Ferdinand Pastre. Tout espoir était perdu. La séparation était définitivement consommée.

— Mais de quoi donc suis-je mort ? s'écria Pastre.

Comme s'il l'avait entendu, le docteur se releva, hocha la tête et dit :

— Un transport au cerveau, ma pauvre Madame !

— Il travaillait trop, pleurnichait Hortense. C'est les chiffres qui l'ont tué !

— Du courage, Madame, dit le docteur.

Et il ajouta, un ton plus bas :

— Sois forte, Hortense, je le veux. Et n'oublie pas que, lui parti, moi je reste.

Ferdinand Pastre eut un sursaut et s'étrangla dans une bordée d'injures silencieuses. Hortense le trahissait avec cet énergumène qui puait l'éther et avait des taches de rousseur sur les mains ! Hortense, après lui avoir reproché des vices aussi infimes qu'une prédilection marquée pour le Byrrh à l'eau, s'octroyait le droit de coucher avec un tripoteur de malades ! Et lui qui hésitait à tromper sa femme avec l'adorable Louisette ! Et lui qui se laissait ballotter par des scrupules chevaleresques et désuets !

— J'étais trop bête ! hurla-t-il. Dès ce jour, je reprends ma liberté ! Et on verra de quel bois je me chauffe !

Le docteur parti, Ferdinand Pastre, qui était d'un naturel sensible, ne se reconnut pas le courage d'assister à la toilette mortuaire et à la visite des agents des pompes funèbres.

— Tout, mais pas ça !

D'ailleurs, il avait hâte de se renseigner sur les modalités de sa nouvelle existence. Toute sa vie, Ferdinand Pastre avait aimé être « en règle avec l'Administration ». Il n'allait pas changer de principes à quarante ans !

— Adieu ! dit-il.

Et il cracha par terre, devant sa femme qui sanglotait à gros bouillons.

Dans l'antichambre, il voulut, par un geste habituel, décrocher son chapeau. Mais sa main traversa le beau melon tout frais sans parvenir à le déplacer d'une ligne.

— Dommage, dit Ferdinand Pastre.

Et, aussitôt, il songea qu'il était en reflet de pyjama et qu'il ne pourrait pas se changer pour sortir dans la rue. Il se consola en s'affirmant que la plupart des fantômes étaient dans son cas et, trouant mollement les portes et les murailles, il se retrouva sur un trottoir où se tassaient et se bousculaient des passants rapides. Très vite, il distingua parmi eux ses confrères de l'au-delà, reconnaissables à la transparence et à la grâce fluide de leur personne. Ils portaient tous le costume dans lequel ils étaient morts. Les uns étaient en pyjama, comme lui, d'autres en chemise, d'autres tout nus, d'autres encore en habit de soirée ou en veston de ville. Il y avait même quelques vieux spectres vêtus à la mode de l'ancien temps, avec des perruques de fumée, des culottes collantes et des pourpoints brodés. Naviguant mollement entre les mortels, ils se rencontraient, se saluaicnt, bavardaient d'une voix fine. Et les vivants coudoyaient cette cohue d'esprits légers, où étaient peut-être leurs maris, leurs parents, leurs femmes. Mais ils n'en savaient rien. Et cela valait mieux ainsi.

Ferdinand Pastre n'osait pas aborder un fantôme inconnu et lui demander les formalités à remplir pour être en règle avec « les autorités compétentes ». Il craignait de paraître novice, et de faire rire à ses dépens l'habitué de l'au-delà auquel il adresserait la parole. Il préféra se rendre chez un de ses bons amis, le joyeux Etienne Cassagne, qui était décédé depuis deux mois et dont il avait abondamment pleuré la disparition. Il le découvrit installé sur une chaise, dans l'entrée de l'appartement où le pauvre garçon était mort d'apoplexie. Cassagne était assis, les coudes aux genoux, et s'amusait à compter les mouches. En apercevant Ferdinand Pastre, il bondit sur ses jambes et poussa un cri strident :

— Toi ? Quel bon vent t'amène ? Serais-tu par hasard des nôtres ?

— Eh oui ! dit Pastre avec une certaine suffisance.

— Comme on se retrouve ! dit Cassagne.

Et il lui donnait de bonnes bourrades dans les côtes. Il s'arrêta enfin et murmura sur un ton sérieux :

— Pas trop souffert ?

— Je n'ai rien senti.

— C'est l'essentiel, dit Cassagne. Sortons un peu. On étouffe dans cette maison.

— C'est que, dit Pastre, je me demande si j'ai le droit de sortir. Peut-être n'avons-nous pas la licence de circuler si nous ne sommes pas munis de certains papiers, de certains passeports ?...

Cassagne éclata d'un rire énorme :

— Mon pauvre vieux ! Tu ne voudrais tout de même pas qu'on te délivrât une carte d'identité ?...

— Ah ! je pensais, dit Pastre, visiblement déçu par le laisser-aller qui régnait dans ce nouveau monde.

— Non, non, dit Cassagne. Ici, nous sommes parfaitement libres, parfaitement abstraits, parfaitement inutilisables.

— Mais que faites-vous toute la journée ?

Cassagne se rembrunit.

— À vrai dire, rien, répondit-il. Et c'est cela qui est terrible. Nous vivons de l'air du temps. Nous flânons d'un appartement à l'autre. Nous ressassons des souvenirs...

— Et c'est tout ?

— À peu près. Parfois, certains d'entre nous s'évanouissent pour comparaître devant je ne sais quel tribunal suprême qui leur donne une nouvelle affectation. On prétend qu'ils renaissent dans le corps d'un animal ou d'un nourrisson vagissant. Mais il n'y a aucune preuve à ce sujet. De toutes façons, le décalage est terrible. Je connais des fantômes de 1670 qui n'ont pas encore été rappelés. Tu vois que nous avons encore un bon moment à passer ensemble.

— Mais les apparitions aux vivants, le commerce avec le monde que nous avons quitté ?

— Ça c'est une autre affaire, dit Cassagne avec gravité. Tu n'ignores pas que nous n'avons aucune prise sur la matière en temps normal ? Mais nous pouvons secouer les guéridons des spirites et nous « condenser » en partie à l'appel d'un bon médium.

— Ça vous fait une belle jambe !

— Ne plaisante pas, dit Cassagne d'un air pincé. Ces apparitions sur l'ordre des spirites sont très recherchées. Il y a des fantômes qui sont constamment « demandés » par les humains. Et d'autres qu'on n'a jamais songé à convier au jeu de la table tournante. Cela crée des jalousies funestes. Des types comme Napoléon ou Victor Hugo n'ont pas une soirée libre. Et ils en tirent une fierté insupportable qui blesse leurs confrères. Certaines de ces vedettes ont même eu l'idée de se faire doubler, parce qu'elles ne pouvaient être partout à la fois. En ce qui me concerne, je n'ai été convoqué qu'une fois, et par la fille de mon concierge encore ! J'en souffre !

— Mais pourquoi ?

— Pourquoi ? Pourquoi ? Parce que ça prouve que le monde se désintéresse de vous, que vous n'existez même plus dans le souvenir de quelque descendant hystérique, que tout se passe pour les peuples vivants comme si vous n'aviez jamais vécu vous-même. À la longue, on acquiert dans notre métier une âme de cabotin. On envie les confrères qui ont des engagements nombreux. On compte leurs rappels. On critique leur gloire. On s'aborde avec un sourire railleur : « Vous avez entendu ? Il paraît que Zola a comparu trois fois dans la seule soirée d'avant-hier. Il en crève d'orgueil. Et pourtant il faut voir les milieux qui l'évoquent ! De très petites gens. Un boucher. Un mercier... À sa place, j'aurais préféré m'abstenir... » Voilà ce que tu entendras à longueur de journée parmi nous.

— Quelle pitié ! gémit Pastre.

— Oui... Oui... Tu dis ça, mais, d'ici quelques jours, tu changeras de langage. Si tu savais quelle joie vous pénètre lorsque, dans le silence astral, on entend une voix humaine, étrange, sourde, craintive, qui psalmodie : « Esprit d'Etienne

Cassagne, es-tu là ? » La seule fois où mon oreille a perçu cet appel discret, j'ai bondi, j'ai filé jusqu'à la chambre noire, je suis tombé parmi les braves gens qui se souvenaient encore de moi et j'ai saisi à pleines mains la table ronde que cernait leur extase. « Si tu es là, frappe trois coups... » Ah ! la douceur étonnante de ces paroles !

— Tu as frappé les trois coups ?

— Et comment ! Je ne me connaissais plus de vanité et d'allégresse ! Je leur répondais avant même qu'ils eussent fini de poser la question ! Je les comblais de précisions troublantes. Je leur faisais le truc du guéridon déséquilibré, et du guéridon valsant, et du guéridon en chevrette. Il a fallu qu'ils me congédient en termes très nets pour que j'acceptasse de me retirer. Après moi, ils ont appelé Voltaire. C'est une consolation.

Il se tut, le front plissé, le regard vague. Ferdinand Pastre, ahuri, ne savait que répondre à ce monologue inspiré.

— Et ils sont tous comme toi ? murmura-t-il.

— Tous.

Il y eut un nouveau silence.

— Je me demande qui m'appellera, moi, reprit Ferdinand Pastre. Ma femme ignore tout du spiritisme. Louisette m'a raconté avoir essayé en vain de faire tourner un bonheur-du-jour pendant la nuit de la Saint-Sylvestre... Il y a bien le docteur Bouminaud...

— Bouminaud ? s'écria Cassagne. Tu connais Bouminaud ? Le génial, l'illustre Bouminaud ? Mais c'est la gloire, mon cher ! Bouminaud est notre meilleur imprésario. C'est lui qui convoque tous les grands hommes de l'Histoire, Sadi Carnot, Franklin, Robespierre... Si tu es sur sa liste, ta carrière est assurée !

Pastre eut un sourire mélancolique :

— Ma carrière ?

— C'est le mot. Tu seras l'une de nos vedettes. Les femmes raffoleront de toi. On t'enviera. On te citera en exemple...

— Laisse donc, mon vieux, dit Pastre. Bouminaud ne m'appellera jamais.

— Pourquoi ?

— Parce qu'il est l'amant de ma femme.

— Raison de plus ! glapit Cassagne. Ah ! Pastre, mon petit Pastre ! Je joue ton avenir gagnant ! Mais, si tu réussis, comme je le souhaite, tu n'oublieras pas les copains, n'est-ce pas ?

— Non, je ne t'oublierai pas, dit Pastre.

Et il se tut, car une soudaine répugnance lui venait pour ce monde vain d'intrigues et de glorioles où il était condamné à vivre.

— Tout de même, soupira-t-il enfin, je n'aurais pas cru que c'était aussi laid que ça d'être fantôme !

Après une quinzaine de jours passés en compagnie d'Etienne Cassagne, Ferdinand Pastre finit par s'habituer à son nouvel état. Les deux amis flânaient sur les quais, pénétraient dans les théâtres et les musées, raillaient les costumes des hommes et des femmes qu'ils croisaient sur leur chemin. À plusieurs reprises, l'ancien comptable de la maison Bouche et Tournoy rendit visite à ses collègues, à son épouse et à l'appartement de la tendre Louisette. Nulle part on ne parlait de lui. Le personnel des Établissements Bouche et Tournoy, qui avait envoyé une belle gerbe par souscription à ses funérailles, s'occupait déjà des affaires courantes, des augmentations de salaire et des congés payés. Son voisin de bureau s'était approprié son sous-main, son pot de colle, son plumier et les manches de lustrine qu'il avait laissées dans un placard. Hortcnsc avait prié sa mère de venir la rejoindre, et il n'était question entre elles que des modalités de la succession. Quant à Louisette, elle avait déménagé depuis peu, et Ferdinand Pastre enrageait de ne pouvoir se faire entendre de la concierge qui, sans doute, connaissait la nouvelle adresse de la jeune femme.

À mesure que les jours passaient, Ferdinand Pastre souffrait davantage de son oisiveté et de son impuissance. Le « mal des fantômes », qui est fait de nostalgie, de paresse et d'ennui, s'attaquait à lui comme à tous ses confrères. Parfois, au cours de ses lentes promenades avec Cassagne, il tressaillait de toute sa taille et murmurait :

— Il me semble qu'ils m'ont appelé !

Cassagne tendait l'oreille et secouait la tête avec commisération.

— Non, mon pauvre ami, disait-il. Personne ne parle de toi sur la terre.

Et Pastre se mettait à pleurer de petites larmes limpides. Il lui était bien égal que sa femme l'oubliât de jour et de nuit. Il était même heureux d'être débarrassé de cette maritorne criarde et obèse qui lui avait gâché la moitié de son existence. Mais que Louisette, que la frêle, la suave, l'amoureuse Louisette n'eût pas l'idée d'aligner ses doigts au bord d'un guéridon et d'évoquer la mémoire de son cher défunt, voilà qui était intolérable !

Trois mois après sa mort, Ferdinand Pastre n'était plus qu'un pauvre fantôme languide, que Cassagne devait sermonner du matin au soir et dont les autres fantômes fuyaient la présence parce qu'ils le trouvaient d'un commerce attristant.

— Tu t'y feras, comme je m'y suis fait, répétait Cassagne.

— Non... Non... Je ne supporterai pas ça ! grognait Pastre.

Il voulut ajouter : « J'en mourrai ! » mais il s'aperçut aussitôt qu'il n'avait même plus la licence de mourir, et cette pensée haussa son désespoir jusqu'à la démence. Aucune consolation ne lui venait de sa nouvelle vie. L'au-delà, il s'en rendait compte avec horreur, était une caricature hideuse de l'au-deçà. Les morts étaient animés des mêmes passions mesquines qui les avaient tourmentés sur terre. Les généraux s'indignaient de leur mise à la retraite et voulaient des guerres fraîches. Les ministres se jalousaient, parlaient de préséances et faisaient des discours en plein vent. Les commerçants vendaient de l'air et calculaient des bénéfices illusoires. Les femmes légères critiquaient la coiffure des épouses honnêtes et les épouses honnêtes enviaient les femmes légères, tout en les traitant de catins. Les galantins ressassaient leurs succès de jadis et citaient des noms et des performances. Les ouvriers pestaient contre les profiteurs. Les profiteurs se plaignaient de ne pas être soutenus par les ouvriers. Tous, tous, du premier au dernier, du plus riche au plus pauvre, du plus jeune au plus vieux, se cramponnaient à leurs souvenirs. En passant de vie à trépas, ils n'avaient pas renoncé à leurs ambitions, à leurs lâchetés, à leurs voluptés, à leurs mensonges anciens. Expatriés, ils ne pouvaient oublier leur patrie. Désincarnés, ils rêvaient à l'homme d'autrefois. Ils se continuaient, avec une application, avec une gravité comiques. Et, comme ils n'avaient pas de corps, leur laideur morale était plus apparente.

Un beau jour, Ferdinand Pastre se mit à hurler en pleine rue :

— Louisette ! Louisette ! Tu ne peux pas m'avoir oublié ! Je veux te revoir ! Je veux te parler ! C'est toujours les mêmes qu'on convoque au guéridon ! Il n'y en a donc que pour les salauds dans l'au-delà ! Il n'y a qu'eux dont les humains se souviennent ! Plus de privilèges ! À bas les privilèges ! Debout les humbles, les oubliés, les négligés ! Debout les damnés du ciel ! Exigeons l'égalité et la fraternité devant le guéridon ! Levons l'étendard de la révolte !

Des fantômes conservateurs, indignés par ce scandale en place publique, bousculèrent Ferdinand Pastre, et Cassagne dut emmener son malheureux ami pour le soustraire aux sévices de la foule. Comme ils arrivaient sur la place de la Concorde, un tremblement étrange saisit Pastre à la nuque et dégringola vivement jusqu'à ses talons. Il empoigna le bras de son camarade et chuchota d'une voix rauque :

— N'as-tu pas entendu ?

— Si, s'écria Cassagne. Cette fois, on t'appelle. Cette fois, on s'est souvenu de toi. File vite. Et bonne chance, mon vieux.

Instantanément, Ferdinand Pastre se trouva transporté dans le salon de Bouminaud. Les volets étaient clos, les rideaux tirés. Une veilleuse éclairait seule cette pièce minuscule encombrée de coussins arabes, de plats de cuivre bosselés et de peaux de bêtes. Au centre, se trouvait un guéridon aux pattes nerveuses. Et, autour du guéridon, il y avait Bouminaud avec sa calvitie rutilante et sa barbe fauve, l'épaisse et blafarde Hortense, l'exquise Louisette au visage de petit chat, et un jeune homme à la coiffure noire et lustrée et au regard tranquillement victorieux.

Le cœur de Ferdinand Pastre tapait follement dans sa poitrine. Il était haletant et radieux. Comme un acteur débutant, perclus de frousse, il contemplait son public et supputait ses chances de succès : « Pourvu que tout se passe bien ! Pourvu que je leur donne envie de me rappeler à chaque séance ! »

Mais, déjà, le grave Bouminaud grondait dans sa barbe :

— Esprit, si tu es là, frappe trois coups !

— J'ai peur, murmura Louisette.

— Calmez-vous, dit le jeune homme inconnu. Et ne rompez pas la chaîne. Je ne sens plus votre petit doigt contre mon petit doigt.

Ferdinand Pastre empoigna le guéridon et s'aperçut avec extase que le meuble obéissait à son effort. Un coup, deux coups, trois coups sonnèrent dans le silence solennel.

— Il est là ! souffla Hortense, et elle porta une main à sa poitrine puissante.

Ferdinand Pastre jouit de l'angoisse majeure que suscitait son apparition.

On le respectait. On le craignait. Jamais, de son vivant, il n'avait provoqué une attention aussi flatteuse, aussi exclusive. La mort le parait d'un nouveau prestige. Décédé, il devenait irrésistible. Louisette ne pourrait plus l'oublier.

— Esprit de Ferdinand Pastre, si tu penses quelquefois à nous dans le vaste domaine où tu habites, frappe un coup.

Ferdinand Pastre souleva le guéridon et le laissa retomber sur le sol.

— Il pense à nous, soupira Hortense. Il est près de nous. Et nous ne le voyons pas. Quelle misère !

— Oui, quelle misère ! répéta Louisette en arrondissant ses fraîches lèvres roses.

Ferdinand Pastre eut envie de l'embrasser pour cette seule réplique. Elle était plus jolie encore que jadis, avec son petit visage triangulaire, maquillé à la diable, et ses grands yeux verts, coupants et faux.

Les nerfs des quatre spirites étaient tendus à se rompre. Le calme du salon donnait le vertige. On entendait la respiration pressée des assistants.

— À qui penses-tu, esprit ? dit Bouminaud. À un homme ? Alors frappe un coup. À une femme ? Alors frappe deux coups.

À peine Bouminaud avait-il achevé sa phrase, que deux coups décisifs formulaient la réponse de Ferdinand.

— Il pense à une femme ! Il pense à moi ! Un mort pense à moi ! Dieu, c'est délicieux et atroce ! piaula Hortense.

— Esprit ! Veux-tu épeler le nom de cette femme ? dit Bouminaud.

Le fantôme obéit aussitôt, et le docteur traduisit son message :

— Douze coups, « L », quinze coups, « O », vingt et un coups, « U »...

— Qu'est-ce que ça veut dire ? Tu es fou, Ferdinand ? Tu t'oublies ou tu te trompes ? grognait Hortense.

Des gouttes de sueur perlaient au front de Louisette. Elle balbutiait :

— Vraiment, je ne comprends pas, c'est une erreur de transmission, sans doute... Et puis, il y a d'autres Louisette sur terre, non ?

Mais, soudain, Ferdinand Pastre s'arrêta de branler la petite table. Un spectacle étrange le fascinait. Sous le guéridon, le pied du jeune homme caressait la cheville de Louisette. Et Louisette ne bronchait pas. Puis, le genou du misérable toucha le genou gainé de soie de Louisette. Et Louisette battit seulement des paupières. Puis, la main de l'infâme quitta le bord de la table et descendit en vol plané sur une cuisse succulente. Et Louisette rougit et souffla :

— Georges...

C'en était trop. Perdant la tête, Ferdinand Pastre brandit le guéridon et en porta un coup terrible sur les orteils de son rival. Le rival poussa un cri et se rua vers le fond de la pièce. Louisette le rejoignit et se blottit dans ses bras, la bouche hurlante.

— Qu'avez-vous ? demanda Bouminaud.

— Le... le guéridon m'a écrabouillé le pied, bredouillait Georges. Ce Pastre est un...

Il ne put achever sa phrase. Le guéridon, s'échappant des mains de Bouminaud, s'inclinait et roulait d'une jambe sur l'autre avec des craquements sinistres.

— Gare ! Gare ! criait Bouminaud.

Trop tard. Déjà, la table ronde se redressait fièrement et retombait sur les pieds du séducteur.

— Lâche ! glapit Georges en considérant sa chaussure écrasée.

— Docteur ! Faites quelque chose ou je m'évanouis ! dit Louisette.

— C'est... c'est inconcevable ! bégayait le docteur. Pour la première fois dans ma carrière !... Ce Pastre est un mufle ! Voilà tout ! On ne l'invitera plus ! Esprit, je t'intime l'ordre !...

Mais le guéridon reculait, prenait du champ, puis décollait du sol et fonçait, les pattes en avant, sur le beau Georges. Georges saisit un vase de Chine et le lança fort habilement contre son adversaire. Le vase vint se briser en miettes musicales sur la tablette du meuble possédé. Un autre vase eut le même sort. Deux chandeliers en saxe suivirent. Des éclats de porcelaine, des flaques d'eau, des fleurs meurtries souillaient le tapis de la pièce. Ruisselant, égratigné, farouche, le guéridon avançait toujours. Georges l'empoigna par les pieds. Mais le guéridon se dégagea d'une ruade, et lui jeta au visage un tiroir plein de gros sous, de pelotes de ficelle et de rognures de chocolat.

Louisette, effondrée sur un canapé, trépignait des deux jambes et poussait des sanglots hystériques. Hortense courait d'un bout de la chambre à l'autre en hurlant : « Au secours ! Au secours ! Nous sommes maudits. » Puis, elle trébucha contre un pouf arabe et s'écroula sur les genoux devant Bouminaud. Ses joues tremblaient comme de la gélatine. Ses cheveux lui pendaient sur le visage. La salive coulait de ses lèvres violettes. Elle joignait les mains. Elle implorait :

— Ferdinand, veux-tu bien te tenir !... Ferdinand, tu me fais honte !... Ferdinand, tu verras, tu verras !...

Sourd à ses menaces, le guéridon valsait furieusement à travers la pièce. Tandis que le beau Georges s'efforçait de gagner la sortie, il le rattrapa en quelques voltes élégantes et l'aplatit au mur d'un coup de bélier. Georges eut un hoquet profond et ouvrit la bouche, comme pour vomir sur le tapis. Profitant de l'occasion, le guéridon le frappa encore en pleine figure. Le jeune homme cracha deux dents, lâcha un râle d'arrière-gorge et décrocha le cimeterre ancien qui décorait un mur de la chambre.

Et le duel atroce commença. Le guéridon chargeait, la tête basse, les pattes profilées. Le cimeterre sabrait le bois à larges moulinets meurtriers. Les pieds disloqués, arrachés, volèrent l'un après l'autre. Des ferrures se détachèrent du meuble et allèrent briser les carreaux. Il ne restait plus que la tablette, sorte de bouclier formidable, tailladé, fendillé, mais qui tenait bon encore. Elle roulait, se cabrait, cognait, encaissait, reculait, marquait une feinte, glissait sur la tranche, montait en vrille jusqu'au plafond, descendait en planant sur l'aile, se redressait à quelques centimètres du sol, giflait de pleine face les genoux douloureux de Georges, reprenait de la hauteur avec un vrombissement triomphal. La lutte était interminable, hallucinante, au point que Louisette préféra s'évanouir pour de bon.

— Versons du pétrole sur le guéridon ! Et qu'on l'enflamme ! criait Bouminaud. Prenez garde à droite !... À gauche !... Attention ! Il va vous attaquer à revers !...

Georges, étourdi, aveuglé, sanglant, ne se défendait plus qu'à grandes parades fatiguées. Ferdinand Pastre s'arrêta pour reprendre haleine avant le dernier assaut. À ce moment, il vit Hortense qui se rapprochait de lui, par-derrière. Elle rampait sur les genoux. Ses yeux brillaient d'une haine femelle. Sans doute voulait-elle s'agripper au meuble et ralentir son élan. Le fantôme se retourna d'un bloc et, soulevant le guéridon, en assena un coup précis sur le crâne de son épouse. Elle s'affaissa comme un paquet de hardes, sans pousser un cri.

Bouminaud écarta les bras et aboya d'une voix blanche :

— Assassin !

Georges, dans le désarroi général, avait ouvert la porte et détalait à longues enjambées dans le couloir.

— Esprit de Ferdinand Pastre !... Tu... tu es un assassin !... Les hommes te maudissent !... Les spirites crient « haro ! » sur toi ! répétait Bouminaud.

Dégrisé, stupide, Ferdinand Pastre vit le docteur se pencher sur Hortense et lui prendre la tête sur ses genoux. La calvitie de Bouminaud brillait d'une clarté lunaire. Des gouttes de sueur brillaient dans sa barbe défaite. Il gémit :

— Hortense ! Ce n'est pas possible ? Vous... Vous n'êtes pas morte ?... Il ne t'a pas tuée, mon petit oiseau...

Ferdinand Pastre eut froid dans le dos et résolut de s'enfuir sur-le-champ. Mais, déjà la voix d'Hortense, terrible, impérieuse, astrale, sonnait à ses oreilles :

— Enfin, je te retrouve, Ferdinand !... Enfin, je ne te quitterai plus !... Mais tu vas m'expliquer d'abord !...

Ferdinand Pastre ferma les yeux et goûta l'impression de mourir pour la seconde fois.

LE PHILANTHROPE

Les Dupont-Marianne étaient philanthropes de père en fils, depuis quatre générations. Comme ses aïeux, Achille Dupont-Marianne, dernier surgeon de cette forte race, aimait ses semblables et s'efforçait de soulager leur sort. En vérité, il était plus généreux encore qu'aucun de ses ancêtres, car, contrairement à leur exemple, il ne s'était pas marié. Et nul n'ignore qu'un philanthrope actif se doit d'être célibataire. C'est une condition inexplicable et nécessaire de cette noble vocation. On ne sut jamais si c'était le goût de la philanthropie qui avait fortifié Achille dans ses idées de célibat, ou si c'était le célibat qui lui avait donné le goût de la philanthropie. Toujours est-il qu'Achille Dupont-Marianne était philanthrope avec frénésie, avec rage. Sa vertu avait la violence d'un vice. Il lui fallait des hommes à sauver, comme à d'autres des femmes à perdre.

Depuis la mort de ses parents, Achille Dupont-Marianne habitait le château familial, en Loire-et-Garonne, à quelques kilomètres de l'important centre cinéputergique de Brascoulet-les-Oublies. Le château était vaste, bâti en pierre du pays, qui est la meulière rose à licornes. Un escalier à triple révolution conduisait au perron d'honneur et à la grande porte centrale, surmontée d'un amortissement Renaissance et flanquée de pilastres ioniques, avec, à hauteur de cintre, quatre groupes de lions pleureurs. À l'intérieur du château, il y avait la salle des mille gardes, et celle des flûtistes, et celle des princes attendus, et celle des étriers perdus, ainsi que des tas d'escaliers dérobés, de boudoirs bleus et mauves, de tourelles pivotantes et d'oubliettes d'amour. La salle à manger semblait assez vaste pour loger un manège, et la fantaisie exquise d'un artiste l'avait ornée dans le goût chinois décadent, avec frise de grenouilles roses, sur fond de jonquilles écrasées. La chambre à coucher d'Achille Dupont-Marianne était tout en marbre de jaspe fleuri et pierre de Florence. Son lit, auquel on accédait par trois marches d'onyx incrustées de nacre des Antilles, avait servi de couche à Henri IV, Louis XIII, Napoléon Ier et Félix Faure, ainsi que le signalait une petite pancarte accrochée au chevet du meuble. Les fenêtres donnaient sur le parc, dessiné par Lecautre, et où s'alliaient noblement les perfections de l'art et celles de la nature. Dans ce parc immense, les visiteurs cultivés admiraient des bosquets taillés en cafetière, des statues de Vénus et de Diane, dues au ciseau de Renaudel et de Voisin, des temples d'amour à trappes musicales, des pièces d'eau bordées de mascarons convulsifs, un petit lac plein de poissons d'or, avec son île authentique, sa gondole et son gondolier importés de Venise, une grande cascade et une petite cascade qui fonctionnaient les dimanches et jours fériés, et un hameau rustique peuplé de brebis apprivoisées et de pâtres chanteurs. Achille Dupont-Marianne disposait de cinq cents personnes, attachées au service du domaine, et, puisqu'il était philanthrope, il les payait bien, les nourrissait copieusement et ne surveillait guère leurs travaux. Aussi, comme il arrive souvent, les domestiques accomplissaient-ils leur tâche avec un zèle d'autant plus grand qu'ils se sentaient moins dirigés. On distinguait la tribu des jardiniers, et celle des maçons, et celle des serruriers, et celle des maîtres queux, et celle des blanchisseurs, et celle des cavistes, et celle des valets de chambre, et des soubrettes. Tout ce monde habitait un village pimpant à quelque distance du château. Les maisons en étaient propres et fleuries. Chaque famille avait son piano, sa T.S.F. et son frigidaire. Des colombes roucoulaient sur les toits. Des inscriptions touchantes surmontaient les portes :

Ayant fait le tour de l'Europe,
J'ai trouvé refuge en ces lieux,
Car où pourrais-je vivre mieux
Que dans le sein du philanthrope ?

Ou encore :

Mes bons amis, pour être heureux,
Attachez-vous comme lianes
Au tronc modeste et vigoureux
D'Achille Dupont-Marianne.

Tous les jours, Achille Dupont-Marianne rendait visite au village des gens heureux. Dès l'aube, avant la reprise du travail, ses obligés le voyaient paraître au bout de la rue principale, et les femmes ouvraient leur porte, et les enfants poussaient des cris de joie et faisaient tourner des crécelles. Achille Dupont-Marianne s'avançait, rose, dodu, velouté, le sourire aux lèvres et les mains jointes sur le ventre. Il était coiffé d'une calotte en velours vert fenouil, et vêtu d'une robe de chambre en tapisserie représentant une chasse au cerf à travers des ramages de corail. Il fredonnait en marchant :

Réveillez-vous, je vous apporte
Le salut du jour radieux.
Ouvrez vos cœurs, ouvrez vos portes,
Et dites-moi : Bonjour Monsieur.

Quand il pleuvait, il se garait sous un parapluie et remplaçait le deuxième vers du quatrain par :

Le salut du jour pluvieux.

Il entrait dans les maisons, tapotait la joue des enfants, complimentait les mères, plaisantait avec les maris et repartait dans une rumeur de bénédictions. Ayant achevé sa tournée, il regagnait enfin le château, et son cœur était plein d'une douce musique. De ce petit peuple qu'il entretenait dans le confort et l'honnêteté montaient vers lui d'étranges récompenses. Il était comme baigné d'amour, couvert de baisers. Il voguait sur un océan d'excellences morales. Pourtant, malgré les prodiges de tendresse qu'il avait accomplis dans un siècle de misère administrative, d'îlots insalubres, de machines-outils et de lois sociales,

Achille Dupont-Marianne ne se sentait jamais quitte vis-à-vis de ses protégés. Un souci de perfection ne le laissait plus en repos. Il voulait faire mieux encore. Il voulait s'étonner lui-même. Ne pouvant, sans se ruiner, assurer le bonheur de l'humanité tout entière, il dépensait des trésors d'ingéniosité pour améliorer l'existence des quelques hommes dont il avait la charge. Le village des gens heureux était son champ d'expériences, l'exutoire de ses affections débordantes. Un jour, il décidait de peindre toutes les maisons en rose, ou bien il installait un manège de chevaux de bois au milieu de la rue, ou encore il ordonnait que toutes les femmes fussent parées de fleurs et que les adolescents leur donnassent des noms de fleurs en sa présence. À la longue, cependant, son imagination s'appauvrissait, et il ne savait plus que tenter pour dépasser les bienfaits de la veille.

Ce fut vers cette époque-là qu'Achille Dupont-Marianne fit la connaissance de l'inventeur Mioche, auquel il exposa son cas.

L'inventeur Mioche avait déjà mis au point beaucoup d'appareils susceptibles de bouleverser l'économie mondiale, lorsque Achille Dupont-Marianne le convoqua au château pour le prier d'y installer un élévateur analgésique à périmètre variable. Les travaux ayant été exécutés à la convenance du philanthrope, celui-ci se lia d'amitié avec le savant et lui dit tout le mal qu'il éprouvait à contenter son amour du prochain. Mioche était un homme maigre et court, portant la quarantaine. Des prunelles opalescentes éclairaient sa grosse tête de congre. Comme tous les gens qui réfléchissent beaucoup, il se rongeait les ongles et recrachait, en parlant, de médiocres copeaux. Au bout de ses doigts, ne miroitaient plus que de brèves écailles, semblables à celles de crevettes. Et, quand il ne pouvait les déchiqueter, il les suçait encore avec délectation. Ayant écouté Achille Dupont-Marianne, il se frappa le front et dit d'une voix sèche :

— J'ai votre affaire !

— Se pourrait-il ? dit le philanthrope avec un étonnement qu'il est aisé de concevoir.

— Avez-vous entendu parler de mon dernier appareil ?

— Non.

— Cela ne m'étonne pas, car je garde jalousement le secret de mes inventions. Celle-ci n'est pas encore au point. Mais quelques semaines de travail suffiront à matérialiser mon idée. Il s'agit d'un mécanisme destiné à diriger les rêves des hommes selon le souhait qu'ils auraient exprimé.

— Je ne vois pas en quoi cette invention pourrait m'intéresser, dit le philanthrope sur un ton poli mais réservé.

Alors, Mioche éclata d'un rire nasal et parla en ces termes :

— La vie de l'homme est partagée entre le sommeil et la veille, entre la nuit et le jour.

— D'accord, dit Dupont-Marianne en fronçant les sourcils avec attention.

— Vous avez fait de votre mieux pour embellir l'existence diurne de vos serviteurs. Et vous ne sauriez, sans renoncer à votre patrimoine, améliorer davantage leur sort. Mais il est un domaine qui demeure ouvert à votre générosité : le rêve. Tout ce que vous ne pouvez leur donner en réalité, fortune, séduction, chances diverses, vous pouvez le leur dispenser en rêve. Au grand jour, vous n'êtes qu'un homme riche, dont les initiatives charitables sont limitées par les comptes en banque, les inégalités de la nature et la règle de trois. La nuit, vous êtes Dieu. Vous disposez de tous les royaumes, de toutes les richesses. Vous modelez des visages, vous chauffez des caractères, vous asséchez des océans, vous pulvérisez des montagnes, vous rendez l'aigle tributaire du phalène et vous faites qu'un âne aille plus vite qu'un boulet de canon.

— Je fais tout cela ? balbutia le philanthrope, affolé.

— Vous faites tout cela, grâce à mon appareil, dit Mioche en redressant la taille.

Et il se mordit un doigt en signe d'orgueil.

Achille Dupont-Marianne demeura rêveur. L'entretien se passait dans le petit salon de soie mauve, devant une table servie en rafraîchissements variés. Derrière les croisées, on entendait le chœur des jardinières qui chantaient la mélodie du jardinage :

Jardinons, jardinons sœurettes,
Nous n'aurons jamais trop de fleurs
Pour payer notre bienfaiteur
De ses largesses indiscrètes ;
Renoncules et pâquerettes,
Accourez, accourez en rond,
Venez ceindre la noble tête
Du grand patron.

Achille Dupont-Marianne se caressa le menton du bout des doigts et poussa un profond soupir :

— Évidemment, dit-il, je ne peux faire pour eux tout ce qu'ils méritent. Et, cependant, votre nouvel engin m'offre des compensations inestimables. Il faudrait réfléchir, réfléchir...

Or, il n'aimait pas réfléchir. Et il faisait chaud. Mioche but un verre d'orangeade glacée, essuya sa moustache et dit :

— En quinze jours, je peux être prêt.

— Soit, dit le philanthrope. Vous installerez votre laboratoire dans l'actuelle salle des courriers royaux.

Après quinze jours de travail intensif à huis clos, avec explosions factices, vrombissements de courroies emballées, fumées de soufre et pannes d'électricité, Mioche appela le philanthrope dans son laboratoire et lui présenta l'appareil à fabriquer les rêves. Le mécanisme était fort simple, et il paraissait surprenant que personne, avant Mioche, n'en eût découvert le principe. Il s'agissait d'une sorte d'hélice à palettes translucides, montée devant un foyer lumineux et actionnée par un mouvement d'horlogerie. La vitesse de la rotation projetait ces palettes diversement colorées devant la lampe, et une lueur changeante rayonnait hors de l'engin vers le visage du dormeur. Le nombre de tours à la minute, l'alternance des teintes, la direction du déplacement d'air et le tintement d'une clochette adventice devaient suffire, selon Mioche, à commander les rêves de tout un chacun. Il avait établi un dictionnaire des songes, gros de 237 pages, où les thèmes oniriques étaient représentés par des équations. Cependant, Achille Dupont-Marianne demeurait sceptique. Mioche lui proposa d'essayer l'appareil sur lui-même. Mais le philanthrope déclina cette offre. Il ne rêvait jamais. Tout au plus, lors des digestions pénibles, lui arrivait-il de voir, la nuit, sur le fond de ses paupières closes, une marguerite qui s'effeuillait au vent. C'était vraiment peu de chose. L'expérience méritait un terrain moins ingrat. Et puis, Achille Dupont-Marianne ne voulait pas prendre de mauvaises habitudes.

Après une longue discussion, il fut décidé que le doyen des balayeurs était l'homme indiqué pour ce genre d'aventure. Il était paresseux, lunatique et vaguement idiot. Il s'appelait Bravoure.

Mis au fait de la situation, Bravoure ne marqua aucune surprise :

— Je veux bien, répétait-il, pourvu qu'*elle* ne me pète pas au nez, *cette* appareil.

— Soyez sans crainte, dit Mioche. Et précisez-moi simplement le rêve que vous désirez faire cette nuit. Voyage exotique ? Rencontre d'une femme court vêtue ? Sauvetage en avion ? Papillons dans un soir d'été ?

Bravoure se balançait d'une jambe sur l'autre et baissait les yeux d'un air obstiné.

— Allons, Bravoure, dit le philanthrope. Ne soyez pas timide. Dites au monsieur ce que vous souhaiteriez être pour une nuit.

— Je suis content comme ça, dit Bravoure.

— Vous le croyez ! s'écria Achille Dupont-Marianne. Mais chacun de nous, même lorsqu'il est heureux, caresse dans son cœur un petit espoir clandestin, une petite ambition secrète... Parlez... Parlez...

Bravoure devint tout rouge, mâcha sa langue vigoureusement et finit par dire :

— Je voudrais être philanthrope.

Achille Dupont-Marianne eut un haut-le-corps :

— Vous... vous dites ?

— Je voudrais être philanthrope, répéta le balayeur.

Et son œil brilla, goguenard, sous les lourds sourcils en broussaille.

Achille Dupont-Marianne eut une courte indignation à la pensée que ce paysan pût lui ravir son rôle, fût-ce l'espace d'un rêve. Mais, très vite, il comprit à quel point ce souhait d'un homme fruste était touchant et flatteur pour lui. Il se sentit exhaussé, magnifié par ce vœu téméraire. Pour Bravoure, devenir Achille Dupont-Marianne était un miracle qu'on ne devait espérer qu'à la faveur des songes. Il désirait cela comme un enfant désirerait la lune. Il se tendait vers cela, de toute sa vieille carcasse plébéienne. Et il avait beau se tendre, à s'en rendre malade, à s'en décrocher les yeux, la distance était grande. Cher Bravoure ! Comment lui refuser l'aumône de cette illusion ? Les larmes aux paupières, les lèvres tremblantes d'émotion, Achille Dupont-Marianne offrit sa main au balayeur et dit :

— Accordé !

Et il avait l'impression très douce de se donner en pâture à la classe laborieuse.

Aussitôt, Mioche feuilleta son dictionnaire en mouillant le doigt :

— Philadelphie... Philaminte... Philanthrope, voilà... « Formule 724 ». Je vais régler l'appareil, le poser à votre chevet, et, cette nuit, vous serez philanthrope, mon cher, aussi vrai que je m'appelle Mioche.

Bravoure salua d'une main molle et quitta le château en traînant les pieds.

Achille Dupont-Marianne ne put dormir de la nuit. Il songeait, sans cesse, à Bravoure, qui, présentement, vivait une existence de philanthrope, dans un château bâti en meulière rose à licornes, avec escalier à triple révolution, salle des mille gardes, salle des flûtistes et oubliettes d'amour. Cette idée dérangeait inexplicablement les habitudes du bienfaiteur. Malgré les remontrances de sa raison, il était inquiet. Il se retournait dans son lit. Enfin, il se leva, s'habilla rapidement et se rendit au village qui sommeillait sous un ciel bleu semé d'étoiles clignotantes. Longtemps, il rôda autour du pavillon qu'habitait Bravoure. Un clair de lune violent illuminait le mur vêtu de vignes. En collant son oreille aux volets clos, Achille Dupont-Marianne crut entendre le ronflement puissant du balayeur. « Il ronfle, pensa-t-il, et il est un philanthrope heureux, pendant que moi je grelotte, transi, devant sa porte. » Cette réflexion le fâcha. Il était mécontent de sa randonnée nocturne. Un chien aboya en tirant sur sa chaîne. Achille Dupont-Marianne se hâta de rentrer chez lui.

Le lendemain matin, il convoquait Bravoure dans le laboratoire de Mioche. L'homme arriva en se dandinant, la tête avancée, l'œil stupide. Il souriait à des visions intérieures. Il paraissait pris de boisson.

— Alors ? demanda Achille Dupont-Marianne d'une voix étranglée.

— J'ai été philanthrope, dit Bravoure.

Et il eut un rire béat.

— Ne l'avais-je pas prévu ? s'écria Mioche, avec une lueur de triomphe dans ses lunettes.

— Taisez-vous, Mioche, dit le philanthrope. Plus tard, nous nous occuperons de vous, et vous serez récompensé selon vos mérites. Pour l'instant, Bravoure seul m'intéresse.

Il poursuivit :

— Donc, Bravoure, vous avez été philanthrope ?

— Oui.

— Et c'était bon ?

— Dame !

Bravoure se passa la langue sur les lèvres.

— Et que faisiez-vous, étant philanthrope ? reprit Achille Dupont-Marianne.

Bravoure ferma les yeux et récita d'une voix atone :

— Oh ! c'était joli... Je couchais dans le marbre et la soie... Je suçais des fruits... J'écoutais des musiques... Tout était à moi, le château, la terre... Je disais aux autres : « Ça va bien ? » Ils répondaient : « Comment donc, not' bienfaiteur ! » Moi, je gonflais le ventre. J'étais tout rose, tout rond, avec un petit bonnet vert sur la tête. Dans ma bouche, ça sentait le bonbon. Quand je m'en allais, les balayeurs chantaient en balançant leurs balais en cadence :

Balayons, balayons pour lui,
Tous les tracas, tous les ennuis,
Afin qu'il soit prospè-è-re,
Notre petit pè-ère...

— Et moi, qu'étais-je dans votre rêve ? demanda le philanthrope.

— Un balayeur, dit Bravoure.

Achille Dupont-Marianne maîtrisa un mouvement d'impatience. Sa mauvaise humeur le surprenait lui-même. Devait-il prendre ombrage d'un manque de respect qui ne l'atteignait qu'en rêve ? Pouvait-il refuser à ce malheureux le bénéfice d'un renversement des valeurs aussi fictif que temporaire ? Faisant un effort, il dit d'une voix amicale :

— C'est bien, Bravoure. Je suis content pour vous. Mais, la nuit prochaine, vous désirerez sans doute jouer un autre personnage ?

— Non, dit Bravoure. Je veux rester philanthrope.

— À votre guise, dit le philanthrope.

Et il le renvoya un peu plus rudement qu'il ne l'eût souhaité.

Mioche se frottait les mains avec énergie.

— Vous voyez, dit-il, grâce à cet appareil d'un prix réduit, j'évite les révolutions sociales. J'établis l'égalité, la fraternité. Je tue l'envie. Je sauve le monde...

— N'exagérons rien, dit Achille Dupont-Marianne.

— Songez à ce que serait la France, si Louis XVI avait possédé un appareil qui lui permît, à peu de frais, d'offrir des compensations d'amour-propre aux futurs sans-culottes. Les privilèges pour tous. Mais à tour de rôle. Équipe de jour. Équipe de nuit...

— Quand même, répondit Achille Dupont-Marianne, en souriant avec malice, l'équipe de jour, comme vous dites, est étrangement favorisée.

— À peine, dit Mioche.

Cette réplique étonna le philanthrope. Mioche voulait-il laisser entendre qu'à son avis le mirage ne le cédait en rien à la réalité, et que les satisfactions du dormeur étaient enviables au même titre que les satisfactions de l'homme éveillé ? La théorie était plaisante.

— Et si je vous proposais de ne vous payer qu'en rêve ? dit le philanthrope avec une intonation taquine.

Mioche fit une grimace nerveuse qui montra le revers mauve de ses lèvres.

— Cela vaudrait peut-être mieux, dit-il.

Mais, déjà, Achille Dupont-Marianne tirait son carnet de chèques et dévissait le capuchon de son stylo en or massif, incrusté de diamants, d'émeraudes et de rubis.

— Donnez-moi le stylo, ça me suffira, dit Mioche.

Il fallut près d'un mois pour réaliser les cinq cents appareils nécessaires à la population du château. Achille Dupont-Marianne était fébrile. L'expérience, tentée sur cette grande échelle, lui semblait passionnante. Après quelques controverses avec Mioche, il avait fini par admettre que cette nouvelle invention était susceptible de changer la face du monde. Peut-être, grâce à son initiative personnelle, l'humanité tout entière trouverait-elle dans le rêve des réparations valables aux déboires de la vie courante ? Peut-être les générations futures lui seraient-elles reconnaissantes d'avoir vulgarisé l'emploi de ce « consolateur à hélices », selon la forte expression de l'inventeur Mioche ? Peut-être lui élèverait-on des statues ? Peut-être dirait-on : « Le siècle d'Achille Dupont-Marianne » ? Comment ne pas se troubler devant une aussi singulière perspective ?

Lorsque tous les « consolateurs » furent prêts, astiqués et huilés, Mioche fit pratiquer un guichet dans la porte du laboratoire, et le défilé des candidats aux songes commença. A tour de rôle, les clients s'approchaient du guichet, passaient leur commande et recevaient des mains de Mioche un engin réglé selon leur désir. Mioche, décoiffé, les joues rouges, annonçait triomphalement :

— Et un voyage en mer ! Et une partie de chasse avec le Président de la République ! Et un philanthrope ! Et encore un philanthrope ! Et une tournée de philanthropes !

Achille Dupont-Marianne tenait la statistique des commandes. À la fin de la journée, il put constater avec stupeur que les neuf dixièmes de son personnel désiraient être philanthropes. Quatre ou cinq adolescents à peine avaient demandé des visions d'amour. Quelques femmes de chambre nerveuses avaient exigé des voyages ou des réceptions. Mais tous les gens sérieux étaient d'accord : c'était à la philanthropie qu'ils voulaient dédier leur nuit. Cette majorité écrasante en matière de rêves inquiétait Achille Dupont-Marianne. Il se demandait avec angoisse quel serait le visage de ses serviteurs après cette débauche de fantasmagories dont il faisait les frais. Le résultat dépassa toutes ses appréhensions.

Le jour suivant, comme il rendait visite au village, selon son habitude, il ne rencontra que des faces hilares, endimanchées, insolentes. Il posa des questions. Les répliques furent d'une franchise brutale. Oui, tous les aspirants philanthropes étaient heureux. Ils s'étaient bien amusés, ils avaient bien mangé, bien bu, bien digéré, bien flâné, pendant quelques heures. Achille Dupont-Marianne fut effrayé par l'image scandaleuse que ces individus se formaient de sa personne et de son existence. Il leur demanda, comme il l'avait fait pour Bravoure, sous quel aspect il s'imposait lui-même dans leurs rêves. Et les réponses de ses obligés le confondirent. Les uns l'avaient vu en laquais, d'autres en palefrenier, d'autres encore en jardinier ou en femme de mauvaise vie, ou en mendiant que l'on chassait à coups de pierres. En guise d'excuse, ces gens simples ajoutaient avec un sourire :

— Vous ne pouvez pas nous en vouloir, notre bienfaiteur. C'était un rêve ! Des sottises, quoi !

Mais tous exigèrent, pour la nuit, le maintien de leur rôle philanthropique, avec le château, le parc et les accessoires d'usage.

Les jours passaient et les serviteurs se refusaient obstinément à changer de rêve. Les « consolateurs » étaient réglés, une fois pour toutes, d'après la formule 724. Chaque nuit, Achille Dupont-Marianne était frustré de ses biens meubles et immeubles au profit de cinq cents déshérités du sort. Chaque nuit, des étrangers s'emparaient de son portefeuille et de ses pantoufles, se roulaient dans son lit, se baignaient dans sa baignoire et crachaient sur ses tapis précieux. À la longue, cette usurpation méthodique finit par indisposer le philanthrope. Non qu'il tirât un orgueil excessif de son état. Mais il lui paraissait injuste d'avoir à déléguer son rôle, fût-ce pour quelques heures, fût-ce en esprit, à des doublures viles, et de relayer ses domestiques aux travaux ménagers.

Les bougres, en revanche, s'habituaient étrangement à leur dignité nocturne. Et, le soleil revenu, il leur en restait au cœur une sorte d'arrogance tranquille. Ils accomplissaient leurs tâches quotidiennes avec des nonchalances de grands seigneurs. Ils négligeaient de saluer leur bienfaiteur par des chansons d'allégresse. On eût dit que leur vraie vie était limitée aux heures du sommeil et que, le jour, ils subissaient un songe décousu et futile. Ils étaient philanthropes, et ils rêvaient qu'ils étaient balayeurs ou valets de chambre. Ils possédaient château, trappes musicales, escaliers dérobés, draps de soie, et le dérèglement d'un cauchemar leur imposait quotidiennement une livrée, une pelle et une vieille femme hargneuse. Devant ces visages de somnambules, Achille Dupont-Marianne se sentait volé, trahi, et débile. Comment leur faire comprendre, à ces imbéciles, qu'ils se leurraient, que le riche, que le fort, que le bon philanthrope, c'était encore lui, toujours lui, et que leur chance, à eux, était illusoire ? Voici que Bravoure lui adressait des saluts de collègue :

— Nous autres philanthropes...

Bien mieux, il arrivait à des domestiques de se tromper, de confondre la vie et le songe, et de dire, en apercevant Achille Dupont-Marianne au bout d'une allée :

— Ah ! vous voilà, vous ! Je vous cherchais.

Un égoutier l'interpella même en ces termes :

— Dites donc, mon cher, vous devriez bien vous mettre à curer les étangs...

Il est vrai qu'il ajouta aussitôt :

— Oh ! pardon, notre bienfaiteur.

Mais l'apostrophe avait blessé Achille Dupont-Marianne au plus sensible de son orgueil.

Au bout d'un mois, la situation devint intenable. Les serviteurs du château profitaient de tous leurs loisirs pour piquer un petit somme et actionner le « consolateur à hélices ». Au beau milieu de la journée, on les voyait abandonner leur travail et rentrer chez eux en courant pour goûter quelques instants d'illusion. Certains, même, prenaient du somnifère. Le service, bien entendu, s'en ressentait. Et Achille Dupont-Marianne maudissait Mioche devant cette armée de domestiques ramollis. D'autant que, parmi des hommes aussi notoirement détachés des contingences terrestres, son rôle de philanthrope se révélait inutile. Il ne pouvait plus rien tenter pour améliorer le sort de ces gens qui puisaient leur nourriture dans le rêve. Un appareil à hélices était devenu le seul dispensateur de leurs joies. C'était à cet engin diabolique qu'ils dédiaient désormais toute leur reconnaissance. Et lui, Achille Dupont-Marianne, demeurait bras ballants, avec ses vertus inemployées, ses tendresses refoulées, ses délicatesses et son argent. C'était intolérable. Achille Dupont-Marianne résolut de lutter contre le scandale. Et, d'abord, une vérité lui fut dévoilée : un philanthrope parmi des gens heureux, c'est un médecin chez des athlètes. Il fallait un peu de misère et de malchance pour qu'un bienfaiteur trouvât prétexte à exercer ses talents. Donc, il importait de défriser l'enthousiasme de ces rêveurs, de leur créer des soucis pour mieux les soulager, de les punir pour les aimer davantage ensuite. Afin de sauvegarder sa raison d'être, Achille Dupont-Marianne était prêt à braver les objections de sa conscience. Déjà, il proférait des monologues terribles en arpentant son bureau qui avait deux cent trente-sept pas de long :

— Ah ! mes gaillards !... Ah ! nous sommes heureux ?... Ah ! nous n'avons besoin de rien ?... C'est ce qu'on va voir !... J'existe, moi, j'existe !...

Un beau jour, sans prendre le conseil de Mioche, il fit placarder dans le village des affiches qui annonçaient, en caractères gras, l'augmentation des heures de travail, la réduction des salaires, et l'obligation pour les hommes d'assister, deux fois par semaine, à des cours de puériculture, d'hygiène et de zoopathie appliquées. Le résultat ne se fit pas attendre. Achille Dupont-Marianne fumait un cigare dans sa bibliothèque, lorsqu'il vit entrer l'inventeur Mioche, blême, les vêtements en lambeaux et la joue meurtrie.

— Qu'avez-vous fait, malheureux ? s'écria Mioche. Les affiches ! Ah ! une riche idée !...

— J'ai voulu recréer un climat propice à mon action bienfaisante, dit Achille Dupont-Marianne avec sérénité.

— Ah ! bien, oui, ricana Mioche en s'arrachant un bout d'ongle à pleines dents. Il est fameux, le climat ! C'est la révolte !

— Quoi ?

— La révolte, mon cher ! Je devrais même dire la révolution !

Et il traîna le philanthrope vers la fenêtre. Par la croisée ouverte, Achille Dupont-Marianne aperçut la foule des serviteurs qui s'avançaient, en rangs compacts, vers le château. Ils agitaient des banderoles au-dessus de leurs fronts. Ils chantaient. À quelque distance du perron, les manifestants s'immobilisèrent. Bravoure était à leur tête. Achille Dupont-Marianne se sentit défaillir de rage et de peur.

— Que voulez-vous ? cria-t-il d'une voix blanche.

— Une répartition équitable des charges et des bénéfices, répondit une voix.

— On en a assez de n'être philanthropes qu'en rêve ! renchérit Bravoure. Ça fait huit ou dix heures de bonheur par jour. Y a pas de raison !

— Mais, avant la création des « consolateurs », vous n'aviez même pas ces huit ou dix heures de détente, dit le philanthrope. Et, pourtant, vous ne vous plaigniez pas.

— On ne savait pas ce qu'on perdait ! hurla une femme. Maintenant, on sait. Tout ou rien. Quelle idée aussi de taquiner les gens, de leur donner de l'argent, un château, de beaux vêtements pour quelques heures, et après : « Retourne à ton balai, à ta vaisselle, à tes hardes ! » Je veux être philanthrope nuit et jour.

— Nous aussi ! Nous aussi !

Achille Dupont-Marianne commençait à perdre patience. Il rugit :

— Mais, bougres de faquins, pour que vous soyez philanthropes nuit et jour, il faut que je démissionne, que je m'en aille...

— Allez-vous-en ! dit Bravoure.

— Et même si je m'en allais, poursuivit Achille Dupont-Marianne, ma fortune, partagée entre vos cinq cents têtes, ne permettrait pas à chacun de vous d'être philanthrope ! Ça coûte cher d'être philanthrope !...

— On verra bien !

— Et le château ? Je n'en ai qu'un. Il vous en faudrait cinq cents !

— On s'arrangera. Tout ça, c'est de mauvaises excuses...

La foule grondait sur place, balançait ses visages congestionnés, ses pancartes et ses poings lourds. Achille Dupont-Marianne se tourna vers Mioche :

— Et vous prétendiez que votre appareil éviterait au monde de nouvelles révolutions, dit-il. Ah ! maudit soit le jour où je vous ai recueilli chez moi. Avant, nous vivions allégrement, eux dans leur travail, et moi dans ma philanthropie. Depuis, la jalousie, la paresse ont envahi leur cœur. Et, moi-même, je ne me sens plus bon à rien. Je doute. Je doute !...

Une pierre vint fracasser les vitres de la bibliothèque.

Le philanthrope était atterré par l'ingratitude et la violence de ses protégés. Il ne les reconnaissait plus. Il avait l'impression d'avoir perdu sa vie à les chérir.

— Ils vont nous tuer, bredouillait Mioche, qui était devenu verdâtre et claquait des dents.

— Vous ne mériteriez pas un autre sort, dit Achille Dupont-Marianne.

Puis, revenant à la fenêtre, il cria vers la multitude houleuse :

— Une dernière fois, voulez-vous me rendre les appareils et reprendre la vie comme par le passé ?

— Non, mugit la foule.

Et toute la populace se rua au pas de course vers le perron.

Le philanthrope et l'inventeur poussèrent une porte dérobée et se faufilèrent dans un souterrain tortueux et noir, qui débouchait, à quelques kilomètres de là, en pleins champs. Chemin faisant, Achille Dupont-Marianne avait décidé d'être philanthrope jusqu'au bout et de signer un acte de donation par lequel le château et les dépendances devenaient la propriété de ses domestiques. Quant à Mioche, il s'était juré de renoncer à exploiter ailleurs son invention ingénieuse et funeste. Comme ils se trouvaient tous deux sans emploi et qu'Achille Dupont-Marianne avait beaucoup d'argent dans les banques, ils partirent pour un tour du monde.

Ils revinrent au bout de quinze ans, parce qu'ils avaient vu tout ce qu'on pouvait voir sur terre, sur mer et dans les airs, bêtes et plantes, cyclones et couchers de soleil améthyste, pêche à la perle et chasse à l'éléphant. Achille Dupont-Marianne, qui était d'un naturel prodigue, avait dépensé son dernier argent à boire des breuvages exotiques, acheter des amulettes et payer des rançons fabuleuses aux capitaines forbans qui le séquestraient, de temps en temps, dans leur cabine. Son crédit était épuisé, sa garde-robe dispersée et ses chaussures prenaient l'eau. Vieillis et blasés, les deux compagnons tombèrent d'accord pour rendre une visite de politesse au château qui avait abrité jadis leur insouciance et leur prospérité.

Arrivés sur les lieux, ils crurent s'être trompés d'itinéraire. Une forêt de broussailles grises et haillonneuses envahissait le parc, étouffait les chemins, recouvrait les étangs. Des statues fauchées gisaient dans les hautes herbes sauvages. Une racine géante crevait le fond d'un bassin aux mosaïques d'or. La carcasse d'une gondole était accrochée aux dernières branches d'un chêne. Du château, il ne restait que quelques pans de murs, aux fenêtres béantes, aux bas-reliefs écornés. Une tribu d'oiseaux nichait là, dans les brèches, et ils s'envolèrent avec un grand cri à l'approche des touristes. Quant au village des gens heureux, il n'était plus qu'un assemblage de bicoques disparates, décrépites, aux toits éventrés, aux portes démantelées, avec des tas d'immondices à hauteur d'homme, tout autour. Des individus hâves, grelottants et vêtus de guenilles erraient entre ces décombres. Leurs visages étaient pointus, affamés, terribles. Ils avaient des prunelles lumineuses et fixes de visionnaires.

Le philanthrope et l'inventeur avisèrent un vieillard assis au bord de la route et qui mangeait des glands avec voracité. C'était Bravoure.

— Eh ! Bravoure ! s'écria Achille Dupont-Marianne.

Mais Bravoure ne reconnaissait pas ces voyageurs tardifs.

— Qui êtes-vous ? demanda-t-il.

Je suis votre philanthrope, dit Achille Dupont-Marianne. Votre bienfaiteur.

Bravoure secoua sa lourde tête cuite et craquelée. Ses cheveux blancs lui descendaient jusqu'aux épaules. Il avait un regard de loup.

— Il n'y a pas ici d'autre philanthrope que moi, dit-il. Si vous voulez vous asseoir à ma table, je vous invite. Prenez donc un peu de cette dinde farcie...

Et il tendait quelques glands dans le creux de sa main.

— Mais peut-être, poursuivit-il, préférez-vous contempler le paysage ? Voici le château et l'escalier à triple révolution. Je couche dans le lit de Napoléon Ier et de Félix Faure. De ma fenêtre, je vois le parc avec ses statues et ses massifs taillés en forme de cafetières. Je mérite tout cela, car je fais le bien à longueur de journée...

Achille Dupont-Marianne hochait tristement la tête. Comme une petite fille passait devant lui en portant un seau d'eau, il l'arrêta :

— Qui es-tu, mignonne ?

— Je suis le philanthrope de ces lieux, dit-elle. Et je porte de l'or pour le distribuer aux pauvres.

— Et tu ne manques de rien toi-même ?

— De rien. Voici mon château avec l'escalier à triple révolution. Ma chambre est toute en marbre. Une musique joue pour moi seule pendant que je m'endors. Napoléon Ier a couché dans mon lit.

Et elle s'éloigna en criant :

— Voici de l'or, de l'or tout frais pour les pauvres !

Alors, le philanthrope et l'inventeur entrèrent dans l'une des masures. Au-dessus de la porte, ils lurent une inscription à demi effacée :

Ayant fait le tour de l'Europe,
J'ai trouvé refuge en ces lieux...

Le réduit était humide, sombre, meublé de caisses en bois blanc. Des épluchures de racines, des châtaignes séchées, des feuilles mortes traînaient sur le sol. L'air sentait la pourriture humaine. Mais, sur une table drapée d'un velours pourpre, trônait l'appareil de Mioche. Son propriétaire, un grand maigre, aux pommettes translucides, aux narines phosphorescentes, l'astiquait avec soin en marmonnant :

— Mon petit bijou, mon petit Dieu, mon petit tout...

En apercevant les intrus, il leur fit un sourire.

— C'est gentil d'être venu voir votre philanthrope, dit-il.

Les deux compagnons se retirèrent sur la pointe des pieds. Lorsqu'ils furent loin du village, Achille Dupont-Marianne saisit Mioche par le bras et proféra d'une voix émue :

— Mioche, vous êtes un misérable !

— Pourquoi ? dit Mioche. Ne sont-ils pas plus heureux que nous ?

Ils marchèrent longtemps dans une forêt agitée de frissons rapides. Le soir tombait. Les feuillages maintenaient une ombre glauque et lourde au-dessus de leur tête. Le sentier qu'ils suivaient disparut sous un enchevêtrement de ronces hargneuses. Une branche craqua et s'effondra très loin dans un abîme de verdure sourde. Ils rebroussèrent chemin, fourbus, inquiets, mécontents. En débouchant dans une clairière, ils furent surpris de voir un ciel nocturne bourré d'étoiles qui palpitaient entre les cimes des arbres. Une bête aux pattes d'argent, au museau moustachu, détala vers les fourrés qui frémirent. Un chat-huant lâcha son cri de mort. Des toiles d'araignées raidies de larmes, des vapeurs de lune descendaient vers les herbes de la clairière. Les deux voyageurs firent quelques pas encore à travers ce paysage de buées, tapissé de mousses flottantes, harnaché de frondaisons en lambeaux, troué de longs corridors où tremblaient des lucioles géantes. Ils goûtaient l'impression d'avoir quitté la terre et de voguer dans l'univers des rêves. Le silence faisait mal aux oreilles.

Non loin de là, ils découvrirent un appentis branlant : les restes du laboratoire. Achille Dupont-Marianne résolut de camper sur place jusqu'au petit jour. Ils entrèrent dans la bicoque, et une chauve-souris leur claqua des ailes au visage. L'inventeur alluma sa lampe de poche. Sur une étagère traînaient encore quelques vieux appareils hors d'usage.

— Je vais les réparer, dit Mioche.

— Pourquoi ?

— Comme ça, murmura Mioche avec un sourire gourmand. Pour me refaire la main. Ça m'amuse...

— Vous tentez le diable, Mioche.

— Mais non. Il faut bien passer le temps jusqu'à l'aube. Ces appareils sont à moi. Il est donc normal... Voyons, comment était-ce déjà ?... La soupape d'aération... Bon... Le clapet de surcharge... Tiens, le pas de vis est faussé... Quand même, j'avais bien combiné mon affaire !... Le mouvement d'horlogerie n'a pas souffert de l'humidité...

Un clair de lune triste s'encadrait dans le guichet du laboratoire. Achille Dupont-Marianne croqua quelques glands qu'il avait ramassés et ne leur trouva pas mauvais goût. Ils lui rappelaient un peu la saveur des fraises.

— Goûtez donc ces glands, Mioche, dit-il. Vous m'en direz des nouvelles.

— Je n'ai pas le temps, dit Mioche.

A dix heures du soir, deux appareils étaient prêts à fonctionner.

— Quel rêve souhaitez-vous pour cette nuit ? demanda Mioche.

— Je voudrais être philanthrope, dit Achille Dupont-Marianne, et il baissa la tête.

— Moi aussi, dit Mioche, en considérant son pantalon décousu, ses chaussures éculées.

Il actionna le mécanisme qui ronronna doucement. Alors, les deux voyageurs s'étendirent côte à côte sur le plancher et fermèrent les yeux.

On ne les a plus revus hors des limites du domaine.

MALDONNE

Je m'appelle Dominique Fauchois. Je ne suis pas fou. Et je le regrette. Il y a, chez les fous, une liberté de grand style vis-à-vis du monde extérieur et de ses conventions, qui est admirable. Un fou a son monde propre. Un homme normal a le monde de tout le monde. Le fou règne seul dans un univers adapté à sa folie. L'homme normal subit un univers que d'autres ont créé pour lui. Le fou est à l'homme normal ce que le propriétaire d'un pavillon particulier est au locataire d'une chambre d'hôtel. Tout cela est très clair pour moi. Cependant, je conçois bien que, pour d'autres, cela peut paraître extravagant, ou banal, ou inutile. Mais l'opinion des autres m'indiffère.

Je suis assis dans mon bureau et je penche ma tête lourde et ronde sur le papier. Ma main gauche tient le papier. Ma main droite tient le porte-plume. Et ce triangle idéal de la tête et des deux mains me donne la certitude vigoureuse de l'équilibre et de la raison. Il y a ma tête. Il y a mes deux mains. Le tout trempe dans la lumière verte d'un abat-jour. La lumière de l'abat-jour est douce. Un fou se sentirait devenir poisson dans cette clarté sous-marine. Moi, je ne perds pas de vue que je suis Dominique Fauchois, mercier de la rue Jacques-Cœur. Moi, je sais que je ne suis pas un poisson. Je suis désolé de le savoir, mais je le sais. Donc, je ne suis pas fou.

Ces préliminaires ne sont pas aussi absurdes qu'ils le paraissent. Il est indispensable que mes lecteurs sachent que je ne suis pas fou, car, s'ils me soupçonnaient d'être fou, ils n'attacheraient pas le moindre crédit à l'aventure que je me propose de leur raconter. Et cette aventure est d'une telle tenue qu'elle ne peut manquer d'enrichir les sciences multiples qui traitent de l'âme humaine et de ses comportements.

J'aime les sciences parce qu'elles tranquillisent les faibles. Les savants piquent des étiquettes, plantent des barrières et tracent de petits chemins dans les terrains vagues. Ils transforment l'infini en lotissements de banlieue. D'année en année, ils poussent un peu plus loin les limites frêles de notre domaine. Et je ne doute pas que, dans un siècle ou deux, notre mur d'enceinte enferme tout l'espace que Dieu a modelé de ses mains, de son souffle et de son regard. Alors, il n'y aura plus rien à craindre, plus rien à savoir, plus rien à espérer. Et l'humanité mourra d'une asphyxie délicieuse qui sera la récompense de son effort. Telle est du moins ma conception de l'histoire universelle des peuples. Et je ne crois pas que ce soit là une conception de fou !

L'ombre de mon cabinet de travail clapote à mes oreilles, comme si une eau montante allait me submerger lentement. Je connais cette sensation intime de plongée, de noyade immobile. Je sais qu'elle est le signe d'une grande activité cérébrale et je m'en félicite. Je m'admire d'être resté aussi raisonnable après les événements que j'ai à cœur de vous relater. Cette vigueur d'esprit s'explique par ma culture personnelle, qui est très poussée au regard du métier dérisoire que j'exerce, et par la santé exquise de mon corps.

J'ai beaucoup lu. Et je me porte bien. Je suis sûr qu'un fou se porte rarement bien. Or, je me porte bien. Je digère moelleusement. Mon cœur fouette le sang à un régime égal. Mes poumons sont amples et satisfaits. Mes articulations jouent à l'aise. Et je n'use pas de lunettes.

Du côté des appétits virils, je représente le type parfait du quadragénaire alerte. Je n'ai jamais eu de ces vices grelottants qui poussent certains misérables à entourer leurs rapports sexuels de décors singuliers et coûteux, de musiques orientales ou de parfums. Je n'ai jamais recherché la compagnie des créatures vénales et expertes qui hantent les porches obscurs et les impasses mal famées, non plus que la fréquentation de personnes à peine pubères, dont la jeunesse, l'acidité et les manières anguleuses attisent, paraît-il, les désirs de quelques détraqués. Je n'ai jamais trompé ma femme. Car j'ai une femme. Ou plutôt j'avais une femme. J'hésite sur le temps qu'il y aurait lieu d'appliquer au verbe « avoir » dans la circonstance présente. Ce n'est ni « j'*a* une femme », ni « j'*ave* une femme » qu'il faudrait écrire. Il vaudrait mieux inventer un temps intermédiaire entre le présent et l'imparfait. Quelque chose comme « j'a une femme », ou « j'ave une femme ». Mais cette seule fantaisie suffirait à me faire classer parmi la tribu délectable des fous. Et je ne suis pas fou.

Donc, faute de mieux, disons que *j'avais* une femme. C'était une personne propre, qui sentait le savon et le vinaigre de toilette. Elle était de haute taille, blanche, blonde et grassouillette. Elle avait des yeux tout petits, mais d'un bleu si friable, si pailleté, qu'ils éclairaient toute sa figure. Ses manières étaient rondes, sa voix légèrement étouffée, comme si elle eût parlé à travers un tampon de gaze. Pour le caractère, elle était docile et affectueuse au-delà de tout éloge. Je n'ai jamais rien eu à lui reprocher. J'affirme, en toute simplicité, que je l'aimais profondément.

Ma femme s'appelait Adèle. Nous travaillions tous deux à la petite mercerie dont le revenu suffisait à nous assurer une existence honnête et confortable. Elle s'occupait des boutons, des rubans, du fil. Je servais les clients plus sérieux, dont le choix se portait sur les ciseaux, ou sur les dés à coudre, ou sur les aiguilles, dont je surveillais de près l'assortiment. Notre entente limpide et la marche aisée de notre commerce nous laissaient prévoir un avenir de prospérité. Nous évoquions souvent les délices d'un ménage digne et vieillissant, privé d'enfants, certes, mais réjoui par la conscience de ses propres mérites. Bref, nous étions heureux et comptions bien le demeurer jusqu'à notre dernier soupir.

Il en fut ainsi jusqu'au 5 mai dernier, où un désastre inouï disloqua notre couple et fit de moi l'homme que voici, chagrin et morose, occupé à rédiger ses confidences pour les peuples de l'avenir.

Je m'arrête pour souffler, car, à présent, il va falloir que j'aborde la partie la plus pénible et la plus extravagante de mon récit, et je n'aurai pas assez de toute mon attention pour mener à bien cette tâche délicate.

J'estime que mon introduction n'éveillera aucune méfiance dans le cœur des hommes qui la liront. A parcourir ces pages, je les trouve claires et sobres, pondérées et graves, comme le texte d'un rapport scientifique. Et, comme je tiens à ce que mon témoignage serve aux travaux ultérieurs des philosophes et des savants de notre siècle, je ne puis que me féliciter de la tournure que j'ai su imposer à mon préambule.

Une pendule a sonné dans le couloir de la maison. Le temps qu'a duré son tintement précis, je n'ai plus été seul. Et puis, elle s'est tue. Et la solitude s'est refermée sur moi, comme les mâchoires d'une benne invisible. Je n'ai pas peur de la solitude. Il me semble, alors, que mon esprit, que mon corps, s'enflent à des proportions gigantesques. Mes bras s'allongent jusqu'à heurter les deux coins opposés de la pièce. Ma tête monte vers le plafond. Si quelqu'un entrait dans la chambre, il serait devant moi comme un babouin effaré.

Au fait. Le 5 mai, à sept heures du matin, je m'éveillai d'un beau songe de prairies et d'eaux vives et touchai le bras d'Adèle, couchée à mes côtés, pour lui faire part de mes visions nocturnes. Elle ne broncha pas à cette caresse familière. Je la secouai doucement par le poignet. Mais cet appel demeura, comme le premier, sans réponse. Je lui posai une main sur le front et, alors, je sentis avec épouvante que j'effleurais un masque de pierre froide. Adèle était morte.

J'essaye de raconter tout cela le plus sommairement possible, car je ne suis pas un écrivain, et je ne saurais pas apitoyer mes lecteurs par un déballement d'adjectifs faciles. Je dis ce qui est, sans emphase et sans appels de pied à la sensiblerie. J'emploie les mots de tous les jours, parce que je n'en connais pas d'autres. Et, cependant, ma douleur eût mérité un plus noble interprète. Ah ! comme j'ai souffert ! Je n'ai pas voulu croire d'abord à mon infortune. J'ai crié, j'ai pleuré, j'ai menacé je ne sais qui de je ne sais quoi. J'ai cru perdre la raison. Oui, je peux l'écrire à présent, puisqu'il est bien prouvé que je ne suis pas fou. Le médecin est venu. Il a parlé d'embolie. Puis, d'autres hommes m'ont rendu visite. Enfin, on l'a emportée, on l'a enterrée. Et je suis resté seul.

Mon récit peut paraître banal à ceux qu'une grande pratique des romanciers modernes a malheureusement accoutumés aux descriptions de toutes les misères humaines. Au reste, jusqu'ici, je reconnais que mon aventure est banale. Terrible, mais banale. Terrible, parce qu'elle est banale. Banale, parce qu'elle est terrible. Ah ! fichez-moi tous la paix ! Je ne sais pas écrire !

Et pourtant, il le faut, car, si je ne racontais pas mon expérience, elle risquerait de mourir avec moi. Et ainsi la science n'en tirerait aucun profit. Et j'aime la science. Elle est notre seule excuse d'exister. Bon. Après la mort de ma femme, j'ai fermé la mercerie et je me suis mis à vivre seul, hargneux et désolé, dans l'appartement où nous avions connu tant de joies secrètes. À voir en place les meubles familiers, à palper les robes d'Adèle dans ses placards, à caresser son lien de serviette, à respirer son parfum de vinaigre de toilette dans le cabinet de bains, j'avais le sentiment qu'elle n'était pas tout à fait partie. Elle avait laissé trop de souvenirs derrière elle pour que son absence pût être logiquement acceptée. Et puis, je ne comprenais pas *pourquoi* il avait fallu qu'elle mourût ainsi. Je suis un esprit lucide. Comme tous les esprits lucides, je crois en un principe, en une entité, en une force supérieure que je baptise du nom de Dieu. Je crois en Dieu. Je crois en Dieu, parce que, s'il n'y avait pas Dieu, il n'y aurait plus de cause ni de solution. Je crois en Dieu, parce que c'est plus commode. Si une voix intérieure m'avait expliqué : « Elle est morte parce que Dieu a jugé ceci et ceci... ou parce que Dieu a décidé cela et cela... », j'aurais dit : « Fort bien. » Et l'affaire aurait été close. Mais il n'y avait pas de réponse à la question que je me posais. Et, quand une question demeure sans réponse, il est difficile de se calmer et de classer la dispute qui vous tient à cœur. Des nuits durant, j'interrogeai Dieu dans le silence du petit bureau où j'écris mes mémoires :

— Que vous a-t-elle fait ? Rien. Était-elle en âge de disparaître ? Non. Avait-elle commis un crime mystérieux qui justifiât ce châtiment ? Non. Avais-je moi-même été assez coupable pour mériter cette punition exemplaire ? Non. Alors ?

Harassé, anxieux et méchant, je finis par admettre que Dieu avait *arbitrairement* rappelé Adèle. Or, si Dieu pouvait *arbitrairement* rappeler Adèle, il pouvait *arbitrairement* me la rendre. S'il n'y avait pas de règle qui lui interdît de tuer ses créatures, il ne devait pas y en avoir qui l'empêchât de les ramener à la vie. Si tout était permis dans un sens, tout était permis dans l'autre. Je raisonnais en scientifique, et je ne démords pas, à présent encore, de mes déductions. Surtout qu'on ne me parle pas de miracle ! Pourquoi serait-il plus miraculeux de renaître sans cause que de mourir sans cause ? Pourquoi faudrait-il plus s'étonner d'une résurrection que d'un décès injustifiable ? Ma position est solide. J'ai trop réfléchi pour craindre de me tromper.

Fort de ma conviction, je me mis à implorer Dieu de me restituer Adèle. Je l'implorais tout simplement, avec des mots ordinaires et des signes de croix, parce que je n'avais pas d'autre langage à ma disposition. Cependant, je sentais bien que le monde demeurait hermétique au-dessus de ma tête et que mes prières me retombaient sur le bout du nez. J'avais beau lancer mon âme vers Dieu, elle revenait étourdie et lasse, comme une balle qui redescend avant d'avoir atteint son but. Entre Dieu et moi, il y avait une épaisseur de mystère qui paraissait infranchissable. Il ne m'entendait pas. Il ne me voyait pas. Pendant trente jours, à minuit précis, je criai sur tous les tons : « Rendez-moi Adèle !... Rendez-moi Adèle !... » Cette lamentation pourra sembler comique à certains imbéciles. Qu'ils essayent donc de trouver une autre forme de prière ! Toutes les prières se ramènent à ça.

Des voisins se plaignirent. Mais je me refusai d'accorder le moindre intérêt à leurs réclamations. J'avais affaire avec Dieu. Et, quand on s'adresse à Dieu, on ne peut être que mal poli envers les hommes. C'est une idée à moi.

Je reprends mon récit. Je criai : « Rendez-moi Adèle !... », avec la voix d'un chiffonnier. Et sans doute n'était-ce pas là une mauvaise méthode d'incantation, puisqu'un beau soir je sentis que je n'étais plus seul. Peu de gens connaissent l'impression d'une approche divine. Imaginez que vous êtes arrêté en plein soleil, sur une route bordée d'arbres. Vous avez chaud. Vous êtes las. Vous suez. Et, brusquement, un coup de vent passe sur la campagne, incline les feuillages, et vous voici noyés dans une ombre fraîche. L'ombre de Dieu était sur moi, murmurante et paisible, comme l'ombre d'un grand feuillage penché. Je poussai un cri. L'ombre hésita et se retira dans un lent frisson. Mais elle revint aussitôt pour m'écouter et me couvrir.

En vérité, il y avait une telle virulence dans ma voix, une telle ferveur dans mon regard, que je ne doutais pas de fléchir un jour la résistance opiniâtre de Dieu. C'était un duel entre moi, tout petit, tout faible, et Lui, dont la puissance ne se mesure pas. Mais j'avais pour moi la raison. Je le savais. Et Il le savait. Et, de jour en jour, Il descendait plus lourdement sur moi. Au bout de six semaines, je ne me déplaçais plus qu'auréolé de Sa présence ineffable. Il y avait sur mes épaules des tonnes de légèreté lumineuse. Il y avait dans mes oreilles des tonnerres de silences divins. Il y avait dans mon cœur la solennité d'accordailles lentes et formidables. Ça venait, ça venait tout doucement. J'allais Le gagner à ma cause. Ah ! quelle épreuve étonnante que celle de ce marchandage mystique ! J'étais épuisé, fiévreux, angoissé. Je ne m'occupais plus de la mercerie. Je négligeais mes livres. Je mangeais à peine. Je ne voyais personne. Souvent, j'avais des vertiges et je me retrouvais, la joue appuyée au mur, avec un goût de bile dans la bouche.

Le 17 juillet, à quatre heures du matin, mon extase atteignit une telle violence que je ne pouvais plus parler, ni remuer mes bras. Un frisson glacé me secouait la peau par saccades. Ma tête était vide et sonore comme un tambourin. Je crus que j'allais mourir. Je fermai les yeux.

Lorsque je les rouvris, il faisait grand jour. J'étais couché dans mon lit. Une odeur de café au lait flottait dans la pièce. Je me levai d'un bond et passai dans la cuisine. Et là, je vis un spectacle qui me frappa de stupeur : Adèle était debout devant la table et beurrait des tartines en fredonnant à mi-voix une chanson triste. Je me jetai sur elle pour l'embrasser. Je lui relatai ce qui s'était passé depuis sa mort. Elle me considéra avec surprise et prétendit qu'elle n'avait jamais été morte et que mes lectures m'avaient, sans doute, fatigué l'esprit. Il fallut lui raconter tout, la mise en bière, l'enterrement, pour qu'elle consentît à revenir sur son opinion. Une fois renseignée, elle se mit à pleurer si fort que je craignis une rechute. Pendant trois jours, nous gardâmes la chambre, et notre bonheur fut sans mélange.

Voilà. Que mes lecteurs jugent sur ce propos si j'ai eu tort ou non de leur raconter mon affaire. Sans doute, il y a des sceptiques qui diront : « Il a arrangé les faits. » Je respecte les sceptiques. Moi-même, je suis un sceptique. Mais le scepticisme a des limites. Et, quand un homme comme moi, c'est-à-dire un homme raisonnable, ami des sciences exactes, et abonné à plusieurs journaux, littéraires et autres, affirme à ses lecteurs qu'il n'a pas menti, on doit le croire.

Oui, oui, il faut me croire. Parce que, si vous ne me croyez pas sur ce premier chapitre de mon récit, vous me croirez encore moins lorsque je vous raconterai la suite. Et j'ai besoin d'être cru. J'ai besoin que tout le monde sache la rectitude de mon jugement. J'ai besoin que tout le monde proclame d'une seule voix que je ne suis pas fou. J'ai dit d'abord que je regrettais de n'être pas fou. C'est faux ! C'est faux ! J'ai peur de cette liberté totale que représenterait pour moi la folie. J'ai peur de tout ce qui n'est pas exact, contrôlable, immédiat. J'ai peur de n'être pas semblable aux autres. J'ai peur de n'être pas aussi myope, aussi mesquin, aussi petit, aussi grisâtre que les autres. J'ai peur que ma tête dépasse le niveau de la fourmilière. Gloire aux fourmis, messieurs !

Mon Dieu, donnez-moi la force de poursuivre !

Les jours qui suivirent la résurrection de ma femme furent tellement étranges que je m'étonne de les avoir vécus. Un grand problème se posait pour nous. Comment faire admettre aux autres les conséquences de cette résurrection ? Comment leur expliquer que Dieu m'avait rendu Adèle sur ma prière ? N'imagineraient-ils pas qu'elle n'avait jamais été morte, et qu'on avait enterré un cercueil vide, et que tout cela n'était qu'une comédie montée par nous pour berner nos voisins, ou la justice, ou quelque haute autorité administrative ?

Nos craintes se révélèrent justifiées. La concierge, les clients, les fournisseurs à qui je racontais mon histoire, faisaient une mine indignée et coupaient court à notre entretien. Ils semblaient scandalisés du retour d'Adèle. Ils n'avaient pas assez de cœur, pas assez d'esprit, pour accepter l'idée d'un miracle. Ils disaient : « Ha ! Ha !... Tiens, tiens !... Tout de même, monsieur Fauchois, on ne plaisante pas avec des sujets pareils... La mort n'est pas une blague, monsieur Fauchois... Je fais des vœux pour que les autorités ne remarquent pas votre supercherie... Êtes-vous passés à la mairie pour régulariser votre situation ? Non ? Eh bien ! je vous souhaite de l'amusement !... » Voilà ce qu'ils disaient. Et moi, j'épuisais ma salive et ma patience à leur faire entendre raison. Peu à peu, tout le quartier fut au courant de notre aventure. Et l'indignation était générale. La mercerie ne recevait plus de clients. On ne saluait plus ma femme dans la rue. Des gamins me jetaient des pierres au passage. L'un d'eux me cria : « Va donc, eh, croque-vivant ! »

Ma femme souffrait abondamment de cette incompréhension et de cette méchanceté primaires. Et j'en souffrais aussi, avec rage, avec tristesse. Notre nouvelle vie, que j'avais rêvée toute d'extase et de reconnaissance, était un calvaire quotidien. Le soir, nous nous enfermions dans notre chambre et nous pleurions de nous sentir isolés du monde par le caractère exceptionnel de notre destin.

Adèle répétait souvent : « Tu vois... Il aurait mieux valu que je ne renaisse pas à la vie ! » Ces paroles me frappaient si douloureusement que je décidai de passer à la mairie pour expliquer mon cas aux employés chargés de la tenue des registres de l'état civil. Mais, comme je pénétrais dans la salle, où des commis feuilletaient de gros livres noirs et manipulaient des cachets et des fiches innombrables, une appréhension soudaine me serra le cœur. Je sentis que ces cocos-là étaient habitués à considérer l'existence humaine sous l'aspect d'une série d'inscriptions de dates et de noms. Pour eux, les êtres vivants n'étaient que des matricules, des boucles calligraphiées, des traits de plume. Le mystère admirable de la création se ramenait à une opération comptable. Les joies, les misères, les espoirs des hommes se réduisaient à une règle de trois. Naissance. Mariage. Décès. Dupont ressemblait à Durand. Durand à Duval. Et Duval à Fauchois. Il y avait une loi commune pour tous les mortels. L'exceptionnel n'était pas une notion administrative. Admettre l'exceptionnel, c'était nier l'Administration. L'un des employés leva la tête, me regarda à travers le tremblotis de son lorgnon et me dit : « Vous désirez, monsieur ?... » J'eus peur de ce que j'allais lui dire. J'eus peur de son regard après ce que je lui aurais dit. J'eus peur de ses cris, de ses gestes : les papiers volant à travers la pièce, les encriers renversés, l'entrée du chef de service, les gendarmes. Tout, mais pas ça ! Je poussai un soupir : « Excusez-moi, je me suis trompé de porte... »

Et je sortis tout penaud dans la rue.

Ne me traitez pas de lâche. Essayez d'imaginer mon désarroi avant de condamner ma conduite. L'intervention divine m'avait tiré hors du troupeau des hommes, et leurs lois ne pouvaient plus s'appliquer à mon aventure. J'échappais aux lois. J'étais hors la loi. J'étais hors du monde. J'étais hors de leur monde, parce que ma chance leur paraissait *impossible*. Regardez bien ce mot : *impossible*. Il résume à lui seul toute la bêtise humaine. Le fait qu'un mot pareil ait droit d'asile dans notre langue est une révélation. *Impossible !* Les gens de science ont érigé un certain nombre d'axiomes. Tout ce qui est au-delà de ces axiomes est impossible. Vous aurez beau apporter vos preuves, affirmer votre sincérité, on vous répondra en vous citant des règles vénérables qui contredisent vos assertions et il ne vous restera plus qu'à vous incliner. Et il en sera ainsi jusqu'à ce qu'un savant découvre un axiome nouveau et accepte votre expérience dans l'enclos des phénomènes humains. Mais le savant qui expliquera la résurrection d'Adèle n'est pas encore venu. Et je ne suis pas un savant, pour proclamer de mon propre chef des théorèmes inédits. Et je dois donc m'exiler dans le domaine de l'impossible. Mais je ne veux pas vivre dans le domaine de l'impossible. Je suis un homme. Je veux coudoyer des hommes. Je veux me noyer dans leur chaleur, dans leur odeur et dans leur sottise quotidiennes. JE VEUX ÊTRE EN RÈGLE AVEC LES AUTORITÉS !

En passant devant le bistrot qui fait le coin de la rue, je saluai, par habitude, un garçon de café nommé Adolphe. Adolphe haussa les épaules et me cria en pleine face :

— Alors ? Tu vas la retrouver, ta déterrée ?

Je ne répondis rien et pressai le pas. A la maison, Adèle était couchée, avec une compresse sur le front. Sa femme de ménage venait de la quitter après une scène atroce. La misérable avait prétendu qu'il y avait une affaire d'argent derrière toutes nos simagrées. J'essayai de consoler Adèle. Mais en vain. Nous restâmes jusqu'au soir dans mon bureau, collés l'un à l'autre, tels deux oiseaux dans la tempête. Le silence. Les rideaux tirés. Le rond lumineux de la lampe. Les minutes tombaient sur nous comme les gouttes d'eau d'une gouttière crevée. Nous n'avions rien à nous dire. Chacun de nous savait déjà ce dont l'autre pourrait lui parler. Il y avait entre nous une sorte de complicité funèbre. Comme si nous avions tué quelqu'un. Comme si nous avions mérité la haine des hommes. Oui, entendez-moi bien, assis l'un près de l'autre, dans cette chambre close où j'écris, nous nous sentions fautifs. De quoi ? Mais d'être devenus des monstres, simplement, des monstres vis-à-vis des êtres normaux qui nous entouraient, des monstres vis-à-vis des lois qui encadraient le monde, des monstres vis-à-vis de l'ADMINISTRATION ! Nous avions commencé par nous révolter contre ceux qui ne voulaient pas comprendre notre cas. Nous les traitions de brutes. À présent, nous faisions cause commune avec eux contre nous-mêmes. Nous admettions, avec eux, que nous étions criminels, haïssables, punissables. Nous souhaitions, avec eux, que justice fût faite au plus tôt à notre détriment.

— Ça ne peut pas durer ainsi, soupira Adèle.

Et je dis :

— Non.

Puis, nous demeurâmes longtemps silencieux. Des mouches se promenaient au plafond. Le grondement du dernier autobus secouait les vitres. Autour du cercle de la lampe, il y avait une nuit tranquille et chaude où dormaient des meubles dépareillés. Un instant, il me parut que la pièce était partie à la dérive et que nous voguions dans une nacelle de planches, sur un océan de ténèbres et de rumeurs. Rien de ce qui se passait entre nous n'était *vrai*. Nous n'étions pas *vrais* nous-mêmes. Je n'étais pas Dominique Fauchois et elle n'était pas Adèle.

— Dominique, dit Adèle.

Je tressaillis. Sa voix était faible et nue comme celle d'une visionnaire.

— Dominique, reprit Adèle. Songe au jour qui va naître.

— Je ne veux pas y songer ! m'écriai-je.

— Tu en as peur ?

— Oui.

— Moi aussi, dit-elle. Quand on a peur du jour qui va naître, il faut mourir. Tue-moi, Dominique.

Elle s'était mise debout devant moi et me regardait avec des yeux intelligents et tendres. Sa figure était si pâle qu'elle ne paraissait plus tout à fait vivante. Elle répéta :

— Tue-moi. C'est la seule solution convenable.

L'air que nous respirions n'était pas l'air des hommes. C'était un air sublime, douloureux, fatal. Il nourrissait nos poumons d'un venin sacré. Il nous donnait le vertige. Je me rappelle une fêlure de l'abat-jour. Je dis même, je crois :

— L'abat-jour est fêlé.

Et elle répondit :

— Tu vois bien ?

Ce qui n'avait aucun rapport avec la phrase que j'avais prononcée.

Alors, je passai dans la cuisine. Je pris dans le tiroir un long couteau aiguisé et mince. Je revins dans la chambre. Je m'approchai de ma femme. L'horloge sonna. Adèle murmura :

— Enfin !

De toutes mes forces, je lui plantai mon couteau dans la poitrine. Je crois qu'elle est morte rapidement. Ce que je puis affirmer, en tout état de cause, c'est qu'elle n'a pas crié. Par conséquent, elle n'a pas souffert. Et c'est l'essentiel.

Je l'ai étendue sur la table. J'ai mis de gros paquets de linge sur la plaie. J'ai allumé trois bougies. Ensuite, je suis allé me laver les mains.

Tout cela s'est passé avant-hier. Je ne suis pas sorti depuis cette affaire. Et j'ai faim. Il n'y a presque plus de provisions dans le buffet. Adèle est couchée sur la table de la salle à manger. Par la porte entrebâillée de mon petit bureau, j'aperçois ses deux pieds et le bas de sa robe. Il fait très chaud. Des mouches viennent se poser sur mes mains suantes. L'odeur de la cire me donne la nausée. Cependant, je suis calme. Je ne regrette pas d'avoir tué ma femme. Comme ça, tout est en règle, administrativement. Comme ça, on ne pourra plus me reprocher d'être un énergumène. Comme ça, on ne me traitera plus de fou. Je ne suis pas fou !

Il est tard. Il faut que j'aille me reposer un peu. Demain, je sortirai pour faire des emplettes et je serai fier, parce que je pourrai dire à la face du monde qu'Adèle est morte et qu'elle ne reviendra plus. Pauvre Adèle !

LE SORTILÈGE

Ce souvenir remonte au temps de mon service militaire. Je revenais de permission. Le train s'était arrêté dans une gare inconnue et on entendait rouler des chariots.

Au coup de sifflet, la portière du wagon s'ouvrit d'une volée et deux soldats se hissèrent dans le compartiment. Coiffés de képis « fantoches », vêtus de capotes lourdes et raides, chargés de musettes obèses, de paquets ficelés à la diable et de bidons baveux, ils demeuraient là, debout, clignant des paupières, à la clarté jaune des lampes. L'un d'eux, m'avisant, porta une main molle à son oreille et grommela un : « Yeutenant » de pure forme. L'autre balança son barda d'un large coup d'épaule sur la banquette. Les sacoches bourrées s'écroulèrent avec un bruit glorieux. Un vieux monsieur, qui somnolait dans son coin, se réveilla et fit : « Ah ! » comme si on l'avait frappé en plein ventre.

— Excuse, dit le soldat.

Je regardai les deux nouveaux venus qui retiraient déjà leurs ceinturons et déboutonnaient leurs capotes neuves de permissionnaires.

L'un était un fort gaillard joufflu, rose, la couenne piquée de poils blonds.

L'autre était un petit homme verdâtre et désenchanté. Ses gros yeux troubles et saillants débordaient les faibles paupières à revers rouge. Un foulard de laine bleu horizon lui tenait le cou jusqu'à la mâchoire.

Assis côte à côte, ils ne disaient mot. Les mains aux genoux, le regard fixé aux vitres du wagon, ils paraissaient attendre. Le train s'ébranla enfin dans une brève secousse, et des lumières passèrent en transparence sur le rideau tiré du compartiment.

— C'est pas trop tôt ! grommela le petit maigre.

Et il dénoua son foulard.

Le gros renifla confortablement, jeta un coup d'œil sur le voyageur civil, haussa les épaules et dit :

— Faut qu'on vous explique, mon yeutenant. Les premières, on n'y a pas droit. Et c'est régulier. Si tout le monde montait en première, il n'y aurait plus besoin de secondes, ni de troisièmes, forcément...

— Forcément, dis-je, en réprimant un sourire.

— Mais il faut distinguer les cas. Un gars qui rentre de permission n'est pas un gars ordinaire. Il a goûté du bon temps. Il a donné du plaisir. On lui doit des égards avant qu'il soit rendu.

— Vous revenez de permission ?

— Et comment ! Fini la détente ! Même que j'ai pas perdu mon temps avec les panthères du pays !

Il rigola :

— Quelle marmelade ! Par-ci, par-là, j'en avais plein les mains. Les filles de chez nous, elles me connaissent. Elles savent qu'avec moi y a pas de fermeture hebdomadaire. C'est pas comme le copain, qui n'est qu'une demi-mesure...

Le petit maigre dit :

— Tu vas la fermer, on finirait par te croire. Et vous, mon yeutenant, vous revenez aussi de permission, peut-être ?

— Oui.

— Quelle misère !

Il cracha par terre.

— Je m'appelle Soleilhavoup, dit le gros. Lui, c'est Planche. On est dans la même compagnie. Seulement, lui, c'est un pauvre type qu'a le noir, et moi, moi je m'débrouille et j'm'en balance.

Il me sourit de toutes ses dents mauvaises et répéta :

— Je m' débrouille et j' m'en balance. Y a personne qui s'débrouille et qui s'en balance comme moi !

Soleilhavoup se tut sur cette phrase lapidaire et alluma une pipe courte au fourneau crasseux. Le vieillard s'agitait sur son séant.

— Ne pourriez-vous éteindre la lumière ? dit-il.

— On boit un coup et on éteint, déclara Soleilhavoup avec autorité.

Et Soleilhavoup, la tête renversée, le bidon élevé à deux mains, s'envoya un jet précis de pinard au fond du gosier. Enfin, désaltéré, il essuya ses lèvres barbouillées de jus violet et passa le bidon à son camarade.

— Vous êtes pas fier, me dit-il. Ça fait plaisir. Parce que les fiers, moi, je ne les encaisse pas. Là-haut, on a un capitaine. Eh bien ! il nous dit bonjour avant qu'on le salue. Ça, c'est du monde !

— La lumière, s'il vous plaît, implora le petit vieux.

— Minute, interrompit Soleilhavoup, qui devait être légèrement éméché. Si le bon Dieu a créé l'électricité, c'est pour qu'on en profite. Je vais vous faire voir un bidule pas ordinaire, mon yeutenant...

Il extirpa de ses poches un pâté de mouchoirs, de ficelles, de canifs et de vieilles lettres saupoudrées de tabac, déposa le tout sur la banquette et tria le trésor de ses gros doigts lents et habiles. Puis, il me tendit une rondelle de cuivre gravée de signes cabalistiques.

— Qu'est-ce que c'est ? dis-je.

— Un porte-bonheur. Quand je l'ai sur moi, rien ne m'arrive. Une fois, je l'avais oublié, et l'adjudant Mouatte m'a foutu dedans.

— Le voilà qui se dévisse, dit Planche. Sitôt qu'il a bu, il débloque. À part ça...

— À part ça, on ne t'a pas sonné pour la corvée, dit Soleilhavoup. Ce petit-là, il a tiré sa vie entre papa et maman, et il s'imagine qu'on est tous émoussés comme lui. Mais vous pouvez demander dans le pays ce qu'on pense de moi. On vous le dira : « Soleilhavoup, il a passé par de drôles de danses. Et, s'il s'en est sorti, c'est grâce à la rondelle. » On vous le dira, et on aura raison ! Ne serait-ce que l'histoire de la ferme à Roustouflat...

— Quelle ferme ?

— Oh ! vous ne pouvez pas la connaître. Faut être de ce coin pour y avoir droit.

— Ça y est, il va raconter l'histoire, dit Planche d'un air consterné.

— Je la raconterai si ça me plaît ! Pas pour toi, mais pour le yeutenant et pour le civil.

— Elle est longue, son histoire ! reprit Planche. Et, avec ça, peut-être pas vraie du tout ! Allez savoir !

Le petit vieux, vaguement inquiet, demanda encore d'une voix faible :

— Vous pourriez peut-être éteindre les lumières ? Cela ne vous gênerait pas pour parler. Et moi, je pourrais somnoler un peu.

— D'accord, concéda Soleilhavoup. D'ailleurs, mon histoire, elle est faite pour qu'on l'écoute la nuit. Mais, d'abord, faut que je vous demande un service, mon yeutenant. Vous changez à Châlons ?

— Oui.

— Nous aussi. Seulement, le train des permissionnaires, je ne m'en ressens pas pour le prendre. Vous, comme officier, vous avez droit aux banquettes civiles, où c'est doux comme de la marmelade. Alors, on va vous accompagner et filer derrière vous en première. Personne n'osera rien dire. Ils penseront qu'on est des ordonnances...

— C'est promis.

— Chouette, j'éteins.

L'obscurité tomba comme une claque sur mon visage.

Planche remonta le rideau, et un clair de lune gelé envahit le compartiment. Le train roulait à douce allure dans un paysage de rêve. En me penchant vers les vitres, je discernai un talus neigeux qui descendait vers l'abîme vert et bleu d'une rivière. Les bords de l'eau étaient gonflés d'une mousse dodue. La glace se cassait en grands losanges translucides. De l'autre côté commençait la colline avec ses taillis de verre filé. À peine l'avais-je aperçue qu'elle disparut, écrasée par une paroi rocheuse en marche. Un sifflet acide coupa la nuit. Les roues tressautaient au raccord des rails. Un aiguillage faillit disloquer le train. Puis, le convoi se coula dans les ténèbres sonores d'un tunnel.

J'entendis Soleilhavoup qui se versait un gobelet de vin. Lorsque le clair de lune revint aux carreaux, je tournai la tête pour contempler mes compagnons de voyage.

La face de Soleilhavoup trempait dans une auréole bleue. Ses yeux paraissaient plus grands. Ils soutenaient toute la masse abondante du visage. Planche était ratatiné et froid comme un cadavre.

— Tu tiens à la dire, ton histoire ? marmonna-t-il.

— Il la connaît, me confia Soleilhavoup, d'une voix mystérieuse. Et il a peur quand je la raconte...

Le petit vieux, la gorge offerte au sommeil, s'efforçait de respirer paisiblement.

— Alors ? demandai-je.

— C'est un drôle de roman. On peut le croire ou pas le croire, c'est la vérité. La ferme à Roustouflat, vous allez la voir, tout à l'heure, au prochain tournant... La voir ? Ce qu'il en reste plutôt. Tenez, regardez ce petit tas noir comme un plat de crottin.

— Où donc ?

— En haut, sur la colline.

J'aperçus, en effet, un monceau de pierres éboulées, au centre d'une large coupe de bois.

— C'est ça ?

— Oui, c'est ça. Mais c'était autre chose. Une belle maison bien carrée, bien blanche, avec un toit tiré sur le nez comme un chapeau. Le père Roustouflat habitait là avec sa femme. La femme était une grande carcasse. Elle bafouillait dans les coins. On disait qu'elle s'arrangeait avec les diables. Lui, c'était un gaillard tout en mauvaise graisse et en poils roux. Du poil aux mains, aux oreilles, aux joues, et jusque sur le nez. Avec ça, il était paralysé des jambes, par maladie ou par accident. Il passait la journée dans un fauteuil à roulettes. Moi, j'étais à l'Assistance publique, sans père ni mère. Ma fortune, c'était juste cette médaille en cuivre qui venait d'on ne sait où. Dès douze ans, on m'avait collé chez les Roustouflat, comme garçon de ferme. Mais, surtout, je devais rouler le vieux dans sa voiture. La planque, quoi ! Les Roustouflat avaient un fils, Auguste, un monsieur dans le genre de monsieur le civil, qui fait semblant de dormir dans son coin. Mais plus jeune, bien sûr. Il travaillait à Paris, dans les assurances. Il venait rarement à la ferme voir ses parents. Et, quand il venait, il ouvrait sa valise en peau de fesse galvanisée, pour qu'on voie son beau linge de donzelle et le flacon d'odeur qu'il apportait avec lui. La grande affaire des

Roustouflat, c'était leur procès en délimitation de terrains avec le voisin Siméon Coudre. Leurs propriétés étaient séparées par un petit cours d'eau, la Douvine, qu'on l'appelait, et chacun prétendait avoir les deux rives dans son lot. Ça se comprend !

— Ne pourriez-vous baisser un peu la voix, monsieur ? demanda le civil.

— Si vous n'entendez pas, vous le regretterez.

— Tu parles ! ricana Planche.

— L'affaire traînait depuis des années, poursuivit Soleilhavoup, en avançant vers moi sa grosse tête fessue. Auguste Roustouflat, qui voulait régler la bagarre en monsieur, filait de l'avocat chez l'avoué, de l'avoué chez l'avocat, et envoyait à ses parents des billets doux que je devais leur lire et qui ne causaient que d'articles du Code, de référés, de constats d'huissier, et toute la sainte sonnaille ! À la longue, le père Roustouflat perdait patience...

— Il n'était pas le seul, siffla Planche.

Le vieux remonta le col de son manteau sur ses oreilles.

— Je vois encore le patron assis devant sa fenêtre, dit Soleilhavoup. Il regardait la maison de Siméon Coudre qui était juste en face, et il grognait : « Fumier ! Raclure ! Pustule à poison ! J'aurai ta peau sous mes bottes ! » C'était une façon de parler, bien sûr. Il criait, le père Roustouflat, et, quand il criait, les veines de ses tempes se gonflaient comme des cordes. J'attendais toujours que ça craque. Derrière son fauteuil, la mère Roustouflat récitait des malédictions :

Ah ! Jésus ! Ah ! Marie !
Exaucez celle qui prie !
Ah ! Marie ! Ah ! Jésus !
Qu'il s'étrangle dans son pus !

Et, à chaque phrase, elle claquait ses mains l'une contre l'autre comme pour tuer une mouche. Un beau jour, on apprit que Siméon Coudre avait fait planter une haie, en bordure de la Douvine, sur notre part, et qu'il avait les deux rives dans son bien. Roustouflat devint rouge et soufflé tel un ballon, puis violet, puis tout blanc, comme le monsieur qui fait semblant de dormir dans son coin.

— Laisse-le, dit Planche.

— Il se martelait la caboche avec ses gros poings velus, reprit Soleilhavoup. Et la vieille marchait de long en large dans la chambre, comme une sonnée ; elle secouait son chignon ; elle tordait ses mains en lavettes : « Ça peut plus durer, Roustouflat ! Auguste perd son temps à la ville avec ce procès ! C'est pas avec des lois qu'on aura cette charogne de Siméon ! » Roustouflat ouvrit sa grande gueule pour lui répondre, puis la referma sur rien et se mit à réfléchir. Sa femme vint près de lui, en tapinette. Et ils discutèrent tout bas, comme pour un mauvais coup. Moi, j'étais dans mon coin à les regarder. Je comptais pas plus qu'un chien pour les Roustouflat. Ils ne se gênaient pas devant moi. Ils disaient que j'étais idiot. Et moi, je faisais l'idiot pour les rassurer. Quand j'avais trop peur, je touchais la médaille dans ma poche...

Le train s'était arrêté dans une petite gare. Quelqu'un courait le long du quai.

— Ça va être pour nous, dit Soleilhavoup. On s'entendait bien tous les quatre, pourtant...

Les pas s'éloignèrent. Le train repartit lentement, et le vieux monsieur avala quelques pastilles réunies dans le creux de sa main.

— Pas de danger qu'il en offre aux autres, gronda Soleilhavoup. Je reprends mon histoire. Après avoir bien parlé, avec des airs à vous tourner le sang en vinaigre, voilà les deux Roustouflat qui s'écartent et le patron m'appelle durement : « Soleilhavoup, tu connais la maison d'Hyacinthe, le rebouteux ? Tu vas m'y pousser, dare-dare. C'est pour une petite blessure que je me suis faite au pouce, avant-hier. Il a des pommades qui guérissent. » Bon. Nous voilà tous les deux sur la route. Je le pousse dans son fauteuil à roulettes et il me répète : « Plus vite, plus vite ! T'as de l'eau de poireau dans les veines ! » Hyacinthe habitait une drôle de bicoque plantée de travers entre trois sapins. Devant la porte, il y avait une niche. Elle était vide, mais ça aboyait quand même à petits coups étouffés. Roustouflat cogne à la porte avec son gourdin. La porte s'ouvre, je veux entrer, mais Roustouflat me tape sur les doigts : « Va-t'en. Je me traînerai seul. » Il se pousse dans sa voiture en s'aidant du bâton comme d'une godille. La porte se referme. Je suis seul. Pas une bestiole dans l'herbe grise comme de la ferraille. Je renifle, ça sent le soufre, le marais. Je crie, et ma voix devient toute petite. Sûr qu'il y avait un sort pour cette place. La curiosité me chatouillait le derrière. Je monte sur la niche où ça grognait toujours. Je colle mon nez aux vitres de la maison. Et je vois...

Soleilhavoup leva un doigt renflé comme une andouillette. Je sentais son haleine sur mon visage et ses gros yeux apeurés buvaient dans mes yeux :

— Et je vois une chambre pleine de vases en verre, qui semblaient tordus par des maladies. Et dans ces vases bouillaient des liquides qu'on aurait pris pour des apéritifs par la couleur. Mais c'était bien autre chose ! Aux murs pendaient des serpents crevés, et des chauves-souris empaillées, et des touffes d'herbes, et des queues de chat. Trois bougies dans des bougeoirs pas catholiques. Roustouflat tourne le dos à la fenêtre. Hyacinthe est devant lui : un vieux, tout long, tout maigre, avec une barbe grise comme de la mousse et trois paires de lunettes sur le nez. J'entends la voix de Roustouflat, comme si elle me parlait dans la gorge : « Je veux que sa maison flambe, demain soir, à minuit, et que son cœur éclate comme une pastèque, et que ses yeux lui sautent des paupières. » Il crache par terre. Hyacinthe lui flatte l'épaule : « C'est bon. Voici une poupée de cire. Je vais la charger d'une malédiction pépère et tu iras l'enterrer cette nuit même dans le champ de ton ennemi. »

Et voilà mon rebouteux qui tire de sa poche une petite poupée toute jaune, toute nue, avec un gros ventre, et des bras en vermicelles, et des jambes sans pieds. Il la fait danser dans sa main. Il répète :

Le feu dans la maison,
Le feu dans le cœur,
Le feu dans les yeux...

Puis, il prend une longue aiguille sur la table et transperce le lardon de cire en disant :

Notre Père qui n'êtes pas aux cieux,
Faites pour le mieux...

Enfin, il te saisit le bijou par la patte et te le trempe, la tête la première, dans un bol de sang. Moi, je dégouline de ma niche, et mes dents claquent de frousse à se casser. Je veux faire le signe de la croix, et je ne peux pas lever la main. Je touche ma médaille, et elle brûle comme du feu. Et le chien aboie toujours dans la niche vide. Ah ! quelle secousse !

— T'en as rajouté depuis la dernière fois, dit Planche d'une voix mal assurée.

— Peut-être, mais c'est rien que de la vérité. La preuve, c'est que tu te dégonfles déjà. Et pourtant, tu la connais, mon histoire !

— C'est pas de peur que je me dégonfle. J'ai mal à l'estomac.

— Va donc, eh ! confetti ! grogna Soleilhavoup avec dédain.

Puis, se tournant vers le petit vieux, il demanda bravement :

— Et vous, monsieur, qu'est-ce que vous en pensez ?

— Hein ? Quoi ? bafouilla le malheureux, réveillé en sursaut. On est arrivés ?

— Pas encore, s'exclama Soleilhavoup. Mais on arrivera, et dans une drôle de casse ! Écoutez, plutôt...

— Monsieur, je suis un névrosé... Je vous prie de me laisser dormir...

— Allons, Soleilhavoup, dis-je, continuez votre récit, mais à voix basse, pour ne pas déranger monsieur...

Soleilhavoup me lança un regard de malice sucrée :

— Vous, je vous ai accroché, avec l'aventure à Roustouflat !

— Eh ! oui...

— Bon. Je continue. Donc, je suis à tremblichoter devant la baraque, et voilà que le battant s'ouvre et que le Hyacinthe pousse Roustouflat sur le pas de la porte, dans son fauteuil. Je regarde le patron. Il a l'air d'une vieille gélatine. On dirait qu'il va couler de partout. « Allons, roule, petit ! » Et je le roule par le sentier truffé de cailloux gros comme le poing. « Plus vite ! Plus vite ! Fils sur la Douvine, cornichon ! » Je me mets à courir, et le fauteuil saute, et tangue, et grince à se désosser. La pluie tombe, et puis s'arrête comme un rideau qu'on tire. On bifurque à droite. Puis à gauche. On est dans les fourrés jusqu'au cou. « Plus vite ! Plus vite ! » Tout à coup, la rivière. Elle coule, lente, unie, sans un remous. Je m'arrête à bout d'haleine devant la haie de pieux et de fils de fer que Siméon Coudre a fait planter la veille sur notre bord. Roustouflat se dresse à demi dans son fauteuil. Je sens la colère qui monte dans sa poitrine. Il agrippe deux piquets à pleines mains et les arrache sans un cri. « Détache le canot. » Je passe par la trouée, je détache la vieille barcasse plate, je l'arrime au pied. Puis je tire le fauteuil à Roustouflat sur le canot. Les deux roues s'engagent sur le ponton. Le canot pique du derrière. « On va chavirer ! » je crie. « Non ! » qu'il me répond. Le fauteuil entre sur le ponton et la barque reprend son équilibre. « Cale les roues. » Et je cale les roues. « Rame. » Et je m'installe et je rame. Et, tandis que je travaille des avirons, je vois mon Roustouflat, assis devant moi dans son fauteuil, la tête bouffie, le ventre sur les cuisses. Et je l'entends qui souffle comme s'il te pondait un œuf difficile. « Ha ! Ha ! » Enfin, on arrive. J'attache le canot à une branche. La berge est haute. Roustouflat se penche et se met à creuser la terre du bord avec ses doigts, avec ses ongles, comme un toutou qui cherche son endroit. Puis, il sort de sa poche la poupée de cire. Il la regarde. Un drôle de petit cadavre dans sa main. Ça me faisait froid dans les orteils à le voir ! Et, devant nous, à deux cents mètres, il y avait les fenêtres de Siméon Coudre, toutes allumées. Ces fenêtres, elles semblaient vivantes, comme des yeux...

— Où qu't'as lu ça ? nasilla Planche, gagné par la crainte, mais qui s'efforçait de blaguer encore.

— Dans ma tête, libellule ! Oui, elles étaient comme des yeux qui nous regardaient, les fenêtres. Par moments, on croyait qu'elles s'avançaient vers nous ; et puis, non, elles étaient encore à leur place. Je me disais qu'on allait nous surprendre. Le fauteuil grinçait si fort, Roustouflat respirait si haut ! Et toutes ces entourloupettes de sorcier, la poupée, l'aiguille, la nuit... Ça se punit, ça se paye ! Je me mis à réciter des prières, histoire de me couvrir un peu. Enfin, le trou est creusé. Roustouflat y fourre sa marionnette comme un poulet dans une casserole. Elle est là, couchée sur le flanc. Et j'ai mal quand je la regarde : on dirait un môme mal venu. Le patron n'en mène pas large non plus. Je vois de la sueur qui coule à grosse pluie sur son front. De ses doigts, il pousse un peu de vase sur la petite fosse. Puis, il s'arrête : « Je n'en peux plus. Continue, Soleilhavoup. » Les miches serrées, la peau à l'envers, je colle de grosses mottes sur la poupée. Mais la honte me prend. Et si j'enterrais quelqu'un pour de vrai ? Je m'imagine tout à coup que le sol va céder sous ma main et que mes doigts vont glisser dans une tombe, et que des dents vont me mordre au poignet. « Ça va comme ça, souffle Roustouflat. On retourne... » Et, comme je reprends les avirons, je l'entends qui marmonne : « Demain, à minuit ! Tout sera cuit ! »

Planche a ouvert son bidon et se verse un bon jet de pinard à distance.

— Tu t'effiloches, vieux frère, dit Soleilhavoup. Et monsieur le civil, il a des cauchemars, sans doute ? Et vous, mon yeutenant, vous commencez à la mesurer, la vitesse du vent ? Eh ! Eh ! Passe-moi le bidon, Planche. J'ai la gorge sèche.

Le train roulait au bord de la rivière. L'air du compartiment sentait déjà la vinasse, la sueur, le drap mouillé. Le bois du wagon craquait comme un vieux meuble travaillé par le temps. La locomotive siffla sur une note longue, désolée. Le fanal d'un garde-barrière nous gifla au passage. Un pont fila sous les roues dans un vacarme de fer battu. Soleilhavoup reposa le bidon.

— Le lendemain, reprit-il, dès onze heures et demie, Roustouflat et sa femme étaient à la fenêtre. Ils reluquaient la maison de Siméon Coudre, par-delà la Douvine. Et, à les voir comme ça, collés côte à côte, on aurait dit qu'ils ne vivaient plus. Mais ils parlaient de temps en temps d'une pauvre voix déglinguée : « Plus que vingt minutes... plus que quinze minutes... Ah ! je voudrais en avoir fini... » Vraiment, ils semblaient presque malheureux d'attendre. À minuit moins cinq, la pluie se mit à gicler par rafales. Le tonnerre roulait. Des éclairs pétaient, tout jaunes, sous le nez. Et le monde entier était comme furieux derrière la vitre : « Minuit ! » cria Roustouflat...

— Mince ! gémit Planche, la tête renversée.

— À ce moment précis, un coup de tonnerre fait craquer le ciel. Une lumière blanche bondit dans la piaule. Roustouflat gueule comme un échaudé. Mais l'éclair s'éteint, et j'aperçois Roustouflat dressé tout debout devant son fauteuil, malgré ses jambes en hachis de veau. Sa langue bleue pend de la bouche comme un torchon. Une suée de sang pisse à travers ses joues. Et voilà ses deux prunelles qui sautent des orbites comme des billes et tombent, clac et clac ! sur le plancher ! Plus il hurle, plus ça tonne. La mère Roustouflat court quasi une débloquée. Elle lève les bras. Elle tortille du siège. Elle secoue ses cheveux. Moi, je serre ma médaille à me la rentrer en pleine peau. Et je sens bien qu'elle me sauve. Tout autour, ça craque, ça siffle, ça jute, ça fume, ça grille, ça pète. Des étincelles, des postillons de feu crépitent sur les rideaux, sur la nappe. Les meubles crachent des flammes par les accoudoirs et par les dossiers. La taule flambe comme une torche. Du coup, voilà la vieille qui pirouette, pareille une toupie, et qui se tape le derrière par terre à côté de son mari. Quant à lui, c'est plus un homme, c'est de la viande. J'aime mieux pas vous le décrire, à cause de monsieur le civil qu'est névrosé... Et puis, ça demanderait trop de temps. Bref, et pour en finir, je prends mes fesses à poignées et je me carapate vers le village. Mais, lorsqu'ils sont venus pour éteindre le feu, il était trop tard. Les Roustouflat étaient frits comme des carpes.

— Mais la poupée du rebouteux ? dis-je.

— Attendez la ficelle, mon yeutenant. Quand on dérange le diable, il finit toujours par vous mordre le nez. Le fils, Auguste, arriva le surlendemain pour les obsèques. Il nous apprit que, trois jours plus tôt, la cour d'appel avait statué en dernière instance, comme ils disent, sur l'affaire Roustouflat-Coudre, et qu'elle avait reconnu la propriété de Roustouflat sur les deux rives de la Douvine. C'était donc dans son domaine à lui que Roustouflat avait enterré la poupée.

— Quelle andouille à ressort ! dit Planche.

Le vieux monsieur, qui avait enfin trouvé le sommeil, ronflait à petit bruit, la joue contre l'appui-tête du compartiment.

Il y eut un silence de réflexion.

— Et l'autre qui pionce comme un nouveau-né ! dit enfin Soleilhavoup. S'il croit qu'il est trop tard pour s'instruire à son âge !

— S'instruire... s'instruire, dit Planche, qui reprenait de l'assurance à présent que Soleilhavoup avait achevé son récit, il y a du vrai dans ton aventure. Mais ça peut être un coup de hasard, tu crois pas ? La foudre est tombée sur la maison et...

— Pauvre ballot ! dit Soleilhavoup. Ah ! tu fais bien ton poids ! Il y a deux ans, je suis retourné à l'endroit où nous avions enterré la poupée. J'ai creusé. Et tu sais ce que j'ai découvert à la place du joujou de cire, hein ?

— Rien sans doute, ou une saleté...

— Oui, ouvre bien tes écouteurs, petite tête. J'ai découvert un squelette, tout léger, tout tordu, avec des os pas plus épais que des allumettes... alors ?

— Ça bien sûr, concéda Planche. Mais tu avais creusé à côté, si ça se trouve !

— Et puis, ça sentait le brûlé tout autour. Et il me semblait que j'entendais grincer le fauteuil à Roustouflat dans la nuit. J'ai foutu le camp, comme si j'avais une fusée dans l'entre-deux.

Il se tut. Et je me gardai de rompre le silence. Le train ralentissait doucement. Les premières lueurs de Châlons naissaient dans la nuit transparente de froid. Le petit vieux se réveilla, regarda sa montre :

— On arrive.

Soleilhavoup me lança un coup d'œil d'intelligence :

— Alors, c'est d'accord, mon yeutenant ? On vous suit dans le train civil ?

— Quai un, le train civil. Quai trois, le train des permissionnaires, criait un employé de gare.

Soleilhavoup me poussa du coude :

— Direction quai un, en avant ! Le train part dans sept minutes.

Nous nous engouffrâmes tous trois dans le souterrain.

Une foule de voyageurs encombrait le trottoir du quai un. La locomotive sous pression soufflait une vapeur dense, bouclée. L'air glacé sentait la fumée de charbon et la graisse. Des sifflets se répondaient au loin, dans un désert de silence et d'immobilité.

— Vite ! Vite ! geignait Planche. On va nous coincer.

Le wagon des premières. Je bondis sur le marchepied.

Et, aussitôt, j'entendis un cri sourd :

— Merde !

Je me retournai.

Un adjudant du service en gare, sanglé de courroies, le casque péremptoire, la moustache catégorique, barrait la route à mes deux compagnons.

— Mais puisque je vous dis qu'on est avec le yeutenant, geignait Soleilhavoup. On l'accompagne...

— On est du même service, insinuait Planche. Il peut pas partir sans nous.

L'adjudant secouait la tête :

— Je ne veux rien savoir. Quai trois, le train des permissionnaires.

— Mais il peut pas nous laisser !...

— On a ses affaires avec nous !...

— Où ça ? dans votre musette ? répliqua l'adjudant avec hauteur. Je connais le truc. Allez ouste !...

— Mais, mon adjudant...

Un coup de sifflet. Mon convoi s'ébranlait avec une mollesse puissante. Penché à la portière, je vis Soleilhavoup et Planche qui secouaient leurs bras dans ma direction. Leurs bonnes faces désolées reculèrent dans la vapeur, dans la nuit brumeuse, pour disparaître, happées au tournant de la voie.

LA ROUQUINE

Il faisait chaud. Les petits ânes trottaient sec. Des carrioles bondées s'emballaient dans un essaim de mouches blondes. Quelques piétons pressaient le pas, s'interpellaient à tue-tête. Il y avait même des paysans endimanchés qui poussaient leur femme en brouette.

À l'entrée du village, une banderole d'andrinople claquait entre deux piquets de bois blanc :

FOIRE DE LAGRAULIÈRE
Année 1670

Clarissou Peyrelevade dépassa les premières maisons du bourg aux grands toits de chaume pisseux, et aux murs de torchis et de poutres. Les fenêtres étaient ouvertes. Par leur embrasure, on apercevait de vastes chambres vides où luisait la face diabolique des cuivres.

Tout villageois en âge de se traîner sur ses jambes se trouvait déjà sur la grande place. Face à l'église, la foire battait son plein. Un rempart de barriques et de tréteaux contenait la foule. Sans égard pour ses atours, Clarissou Peyrelevade se glissa dans cette masse mouvante et suante qui riait, criait et jouait des coudes. Il y avait là des commères aux figures spongieuses et aux fichus troués, des pucelles flexibles au davantal fleuri, des paysans vêtus de droguet bleu foncé, les braies enfoncées dans leurs bas de laine et la tête coiffée d'un chapeau à calotte ronde. Il y avait là des gosses en haillons et des servantes à cornette blanche. Il y avait là des cavaliers à buffle et à hongreline et des messieurs en culottes « à pont-levis ». La voix des marchands couvrait le bruit des semelles et le son aigrelet des fifres et des hautbois.

— Approchez ! Approchez de moi... Je vends moins cher et meilleur poids !

Les étalages de fortune ployaient sous le chargement des draps, des pannes, des fourrures, des dentelles en point de Tulle, des chaudrons, des griales, des chauffe-lits, des bourses de cuir et des aumônières, tout cela pêle-mêle et pour presque rien. La joie de ce grand jour paraissait inépuisable. Clarissou Peyrelevade ferma les yeux, étourdie, et les rouvrit sur une rangée de boudins gras et tristes. Quelqu'un riait si fort à ses oreilles qu'elle fut prise, elle aussi, de rire et cacha son visage dans ses mains. Mais, déjà, la marée humaine l'entraînait vers la principale attraction de la place.

Ces messieurs les négociants en cheveux avaient établi leurs boutiques contre le mur même de l'église. Ils étaient deux. Leurs estrades étaient tendues de drap rouge et surmontées d'un baldaquin branlant. Au centre, un fauteuil et une table, chargée de ciseaux, de rasoirs et de fioles savantes. À droite et à gauche, des coffres ouverts sur une effervescence de dentelles, de bonnets, de robes et de mouchoirs.

La confrérie des marchands de cheveux régnait, à cette époque-là, sur tous les cuirs chevelus de France. Le célèbre Binet, créateur des « binettes » et fournisseur du roi, affirmait qu'il dépouillerait toutes les têtes du royaume pour garnir celle de son souverain. Grâce à l'industrie des barbiers-perruquiers, les toisons artificielles s'enflèrent jusqu'à peser près de deux livres et valoir plus de mille écus. Louis XIV lui-même, bien que pourvu d'une chevelure abondante, acceptait des perruques à jour, où passaient les quelques mèches de cheveux dont il n'avait pas voulu ordonner le sacrifice. Cette profusion de perruques ne s'alimentait qu'au détriment des crinières naturelles de la province. Les têtes de femmes vivantes et mortes étaient mises à contribution. Une marée de poils se retirait lentement des campagnes, abandonnant des surfaces glabres, des îlots chauves, des grèves de cailloux bien léchés.

Lagraulière, en Limousin, était un centre important de ramassage de poils et ses marchands étaient réputés pour leur générosité et pour l'habileté de leur coupe. Au reste, des pancartes nombreuses renseignaient les badauds sur les mérites exceptionnels de ces écumeurs de crânes :

On a toujours trop de cheveux.
On n'a jamais assez d'atours.
Maître Labrousse coupe vite
Et paye en toilettes de Paris.

Ou bien :

Le cheveu coupé repousse
Plus vite que le sou perdu.
Fais-toi tondre chez Labrousse.
Que tu sois brune, blonde ou rousse.
Il s'engage à payer son dû
Au crâne qu'il aura tondu !

Ou encore :

Femme chauve et bien vêtue,
Vaut mieux que pauvre et chevelue.

Signé : LABROUSSE.
Maître barbier-barbant, fournisseur
de la Cour, du clergé et de toutes
les personnes honnêtes du royaume.

Labrousse était un grand homme maigre, livide, au nez en fer de hache et à la perruque bouclée. Une rhingrave couleur rouille, à galons dorés, flottait autour de sa carcasse sèche.

— Piaous ! Piaous ! Cheveux ! Cheveux ! Approchez ! hurlait-il d'une voix enrouée. Votre fortune est sur votre tête, et vous vivez sans en tirer profit. Qu'est-ce que la chevelure, mes mignonnes ? Le siège de la vermine, de la moisissure, des petites plaies croûteuses et des échauffements cérébraux. Elle est la cause de tous les maux dont les femmes ont coutume de se plaindre et qui ont noms : vapeurs, vertiges, tiédeurs, frissons, spasmes, convulsions et hallucinations printanières. Et voici que moi, Labrousse, je m'offre à vous débarrasser de ces menus ennuis qui minent votre santé. Et non seulement je m'offre à vous en débarrasser, mais je ne veux aucun salaire pour ma peine, mais je vous propose mille cadeaux charmants qui réveilleront la jalousie de vos maris et le dépit de vos gentilles compagnes. Venez, mesdames et mesdemoiselles, gravissez cette estrade et confiez-moi le soin de vous rendre bien portantes et gracieusement attifées. Piaous ! Rejeter mon invite, c'est vous préparer un cortège de regrets pour l'année... Entrez, mesdames... Entrez !

Devant Clarissou, une jeune femme poussait sa voisine du coude et riait à petits roucoulements confus.

— Vas-y, grosse bête ! lui disait sa compagne.

— Non, non, je n'ose pas...

— Ton mari te l'a bien permis...

Elle rougissait, secouait le front et tordait son tablier à deux mains :

— Devant tout ce monde !

Labrousse dressa le menton et cloua d'un regard cette proie palpitante :

— Venez, venez, ma libellule ! Je vous laisserai deux gracieuses mèches sur le devant et vous aurez des atours de grande dame !

La jeune femme baissa les yeux, murmura quelques mots à l'oreille de son amie et gravit l'escalier de planches.

Clarissou pensa qu'elle eût bien aimé troquer sa tignasse rousse contre une robe qui fût véritablement à son goût. Mais son mari, le gros Barnabé Peyrelevade, cuisinier de M. de Saint-Cirgues, s'était opposé à ce qu'elle sacrifiât une parure naturelle dont il tirait vanité.

Désenchantée et lasse, Clarissou reprit sa promenade et s'avança vers le deuxième marchand. Ce barbier-là était un petit homme bossu, vêtu d'un justaucorps écarlate et juché sur de hauts talons. Son visage était grumeleux et de couleur beige, comme une boulette de hachis. Une perruque noire, dense, luisante, vivante, dominait sa figure molle. Et ses yeux brillaient, durs, comme des éclats de diamant. Il avait une verrue sur la narine droite. C'était la première fois qu'on voyait cet étrange marchand à la foire de Lagraulière. Et les femmes se pressaient autour de lui, telles des mouches gourmandes sur une tarte. Cependant, le barbier criait d'une voix forte et pleine comme le grondement d'un tonneau roulé :

— Inutile d'approcher, mesdames ! vous ne m'intéressez pas. Et les robes somptueuses que vous voyez ne sont pas pour vous. Je n'achète que les chevelures rousses ! Pour une tignasse rousse, je donnerais toutes les toilettes que vous admirez ! Pour cent tignasses brunes ou blondes, je ne donnerais pas un poil de mon nez ! Ne restez donc pas devant moi, brunettes échauffées et blondes affadies !

Mais les femmes ne bougeaient pas.

— Quel grossier ! disaient-elles. Il pose au difficile et ses toilettes sont démodées !

— Pour rien au monde je ne confierais ma tête à un inconnu, ma chère.

Tout à coup, le barbier poussa un hurlement sauvage :

— Tudieu, la belle rousse ! C'est elle qu'il me faut !

De nombreuses têtes se tournèrent vers Clarissou, et elle crut défaillir de honte. Quelqu'un murmurait dans son dos :

— La rouquine, la rouquine !...

Elle souhaita brusquement être loin de cette foire, fuir sur quelque sentier encaissé dans l'herbe fraîche, retrouver la vaste cuisine où les broches tournaient déjà pour le repas des maîtres. Elle se sentit rougir et ses jambes devinrent molles. Cependant, le barbier l'appelait toujours à grands gestes des mains, à grands éclats de voix :

— Venez ! Venez, belle entre toutes les belles !

Il lui désignait une robe, pendue derrière lui, et qui était le centre lumineux de la boutique. Clarissou regarda la robe et fut émerveillée. Cette robe ne pouvait être que sa robe, était déjà sa robe. La seule idée qu'une autre femme dût la revêtir un jour paraissait offensante et absurde. Sous ses doigts, Clarissou imaginait le glissement sec du satin, le bouillonnement aérien des valenciennes, la résistance des boutonnières finement ourlées. Dans ses narines était déjà le parfum de l'étoffe neuve. Et elle tendait le cou comme une assoiffée. Il faut reconnaître que la toilette était digne d'une princesse : longue, bien prise à la taille et d'une teinte vert d'eau plus pure que le reflet des arbres dans un ruisseau de montagne. Trois tours de dentelle mouraient en écume transparente au bord des manches. Des nœuds de velours noir descendaient des deux côtés du busc, tels des papillons piqués. La garniture des boutons était montée sur de la soutache de ganse. Mille paillettes de jais scintillaient au bas de la jupe comme l'éclaboussement d'une vague nocturne. Et, à la ceinture, pendaient un mouchoir à glands, des gants d'Espagne parfumés et un éventail d'ivoire à dessins agrestes. Certes, d'aussi nobles atours méritaient le sacrifice d'un bon poids de cheveux, mais le mari de Clarissou était un homme de sens rassis et de volonté redoutable. La jeune femme accorda une pensée furieuse à ce gros homme en bonnet blanc. Elle se rappelait encore ses paroles :

« Je te défends de céder un seul de tes cheveux à ces croquants sans scrupules ! Il n'y a pas de robe qui puisse payer une tignasse comme la tienne ! Tu m'appartiens ! Je ne te vendrai pas ! »

Elle serra les dents : l'imbécile, le triste imbécile, qui ne voyait pas plus loin que le bout de sa broche et se moquait de savoir sa femme attifée comme une gitane ou comme une dame de qualité !

Des larmes de rage lui montaient aux yeux et elle écrasait ses petites mains l'une contre l'autre.

Le barbier secoua tristement la tête :

— Je vois ce qui vous arrête, ma rose royale. Votre mari pousse la cruauté jusqu'à vous interdire d'échanger vos cheveux contre des colifichets qui vous rendraient heureuse ! Je ne veux pas attaquer ici l'usage immodéré que certains font de leur autorité maritale, mais ma vieille expérience me dicte l'observation que voici : lorsque vous rentrerez, vêtue de cette jolie robe vert d'eau, le courroux de votre mari fondra comme neige au soleil ! Il n'est cœur si fruste, si sec, si endurci soit-il, qui puisse résister à l'attrait d'une toilette élégante ! J'ai dit.

Clarissou demeura ébahie par la justesse de ce raisonnement. Peut-être, en effet, le gros Peyrelevade se laisserait-il séduire par ces dentelles vaporeuses et ces nœuds de velours mignons ? Après tout, il n'était pas insensible à l'attrait d'une table richement dressée et dépensait des trésors d'ingéniosité à garnir ses plats de feuillages, de plumes et de sucreries. Ne disait-il pas lui-même qu'il était « un artiste » ?

En tout état de cause, l'enjeu valait qu'on risquât pour lui une scène de ménage et quelques gifles plus sonores que douloureuses. C'était une bêtise et une lâcheté que d'hésiter encore.

Clarissou donna un dernier coup d'œil à la robe qui la dévisageait de tous ses boutons coquins. Puis, le front bas, le cœur battant, elle murmura :

— Allons.

Et elle s'avança vers l'estrade.

Le barbier l'accueillit au bord des tréteaux et la conduisit jusqu'au fauteuil, en la tenant par la main comme pour un menuet de cour.

Clarissou Peyrelevade se laissa descendre sur le siège de velours usé. Devant elle, un flot de faces attentives reculait jusqu'aux dernières maisons de la place. À sa droite, un miroir lui renvoyait l'image d'une femme très pâle, aux cheveux roux et à la robe de ferrandine grise ornée d'une écharpe citron. À sa gauche, le barbier s'affairait devant une table où luisaient des rasoirs meurtriers et des fioles de baume blanchâtre.

— Êtes-vous prêt ? souffla la jeune femme.

— Pas encore ! dit le barbier.

Et il se mit à jongler avec ses instruments sans raison apparente. De temps en temps, il poussait un petit rire nerveux et secouait ses épaules.

Clarissou eut peur tout à coup de son aventure et pensa que son mari était un homme de grande culture et d'utile expérience. Mais, déjà, le barbier s'approchait d'elle, le dos rond, la perruque déviée. Il tenait, à la main droite, des ciseaux énormes, affilés et luisants. Sa main gauche battait sa cuisse avec un bruit mou. Une horloge sonna cinq heures. Le barbier avançait toujours. Son visage affreux domina soudain le visage de Clarissou. Elle apercevait de tout près cette face moisie. Elle sentait cette haleine chaude sur sa bouche. Elle voulut se débattre, mais une langueur étrange lui nouait les membres. La main du barbier monta au-dessus d'elle comme un oiseau de proie. Les ciseaux resplendirent. Il cria :

— À nous deux !

Et, dans un grand frisson, elle éprouva le froid du fer contre sa nuque.

Aussitôt, le barbier se baissa, ramassa la première mèche tombée et la fit sauter dans sa paume avec des grimaces d'échaudé :

— Ho ! Ho ! grognait-il.

Il se dandinait drôlement d'une jambe sur l'autre. Un murmure de houle emplit les oreilles de la jeune femme.

— Les beaux cheveux ! clamait le barbier. Tout flambants ! Tout brûlants ! Comme de l'or liquide !

Et il revint à la tâche. Ramassé sur lui-même, bossu, hideux, redoutable, il faisait un bond de cabri, empoignait une touffe de cheveux, la tranchait net et la jetait dans un sac noir pendu à sa ceinture. Bientôt, le manège s'accéléra et devint une sorte de danse grotesque, avec des avances terrifiantes, des sauts de biais, des reculs respectueux. Clarissou, inquiète et même fâchée, somma le barbier d'en finir au plus tôt.

— Nous n'en avons plus pour longtemps, croyez-moi. Mais ne bougez pas la tête. Je dégarnis vos tempes, là, là...

Et il gambadait et tourbillonnait de plus belle.

— Quelle heure est-il ? demanda Clarissou.

— Bientôt, bientôt vous pourrez partir !

La nuque de Clarissou s'engourdissait lentement ; ses épaules, ses reins lui faisaient mal ; des fourmis de feu lui dévoraient les jambes ; le grincement moqueur des ciseaux lui déchirait les oreilles :

— Je n'en peux plus !

— Un peu de patience encore !

Pour la centième fois, les ciseaux foncèrent à plein bec sur leur victime, piquant, fauchant, arrachant leur moisson de chevelure précieuse. Rassemblant toutes ses forces, Clarissou hurla vers la foule :

— Délivrez-moi ! Mais délivrez-moi donc !

Mais la foule ne pouvait pas l'entendre. Les têtes se balançaient doucement, comme des épis au gré du vent. Puis, un courant tranquille agita la populace, la creusa de remous, la divisa en ruisseaux innombrables. La place de l'église se vida comme par enchantement. Et il n'y eut plus sous les regards de la jeune femme que de gros cailloux imbéciles, des murs nus et des volets fermés. De lourds nuages gris étaient venus dans le ciel et buvaient les dernières flaques bleues qui traînaient encore au-dessus du clocher. La brise du soir souleva un panache de poussière au pied de l'estrade.

Huit heures sonnèrent à l'église. Une demi-heure s'écoula encore, pendant laquelle Clarissou crut avoir perdu conscience. Encore une demi-heure. Les étoiles parurent et, cependant, le terrible barbier taillait toujours dans la chevelure rousse. Mais, à mesure que l'ombre s'épaississait autour de l'estrade, la face du barbier prenait une pâleur, une phosphorescence magiques. Il n'avait plus qu'un œil et ses dents étaient comme des dents de chien. Une odeur de soufre sortait de sa bouche déchiquetée. Les planches sonnaient sous ses pieds comme sous des sabots de mule.

Lorsque minuit tinta au clocher de l'église, le barbier se redressa, et dit :

— Vous pouvez partir.

Clarissou demeura un instant étourdie par ces paroles ; puis, elle passa une main sur sa tête qui était lisse et froide comme un pavé. Un sanglot lui noua la gorge. Mais elle se retint de pleurer et ordonna furieusement :

— Donnez-moi la robe !

— La voici.

Ce disant, le barbier décrocha la toilette, l'enveloppa prestement dans un drap noir et, se tournant vers Clarissou, lui lança le paquet avec un ricanement.

Clarissou attrapa le baluchon au vol et le serra, paupières basses, contre son cœur. Quand elle rouvrit les yeux, le barbier avait disparu.

— Quoi ? glapit maître Peyrelevade, et Clarissou crut qu'il allait s'évanouir.

La bouche ouverte, les yeux révulsés, les joues violettes,

maître Peyrelevade tremblait de toute sa graisse. Enfin, il tendit un doigt vers le crâne chauve de sa femme et laissa retomber sa main en signe de découragement.

— Tu mériterais !... Tu mériterais !... Il ne t'a même pas laissé les cadenettes[1] !

Clarissou l'interrompit d'une voix douce :

— Regarde ce que j'ai rapporté.

Maître Peyrelevade se pencha sur le paquet sans mot dire et dénoua les coins de l'étoffe. Mais, lorsqu'il eut défait le baluchon, il tressaillit et se signa rapidement : sur le drap noir, à la place de la toilette somptueuse, il y avait trois vieilles arêtes de poisson.

Frappée d'épouvante, Clarissou s'effondra sur une chaise :

— Le diable, c'était le diable ! gémit-elle.

Et le gros Peyrelevade, la mâchoire décrochée, joignait ses grosses pattes sur son ventre et marmonnait précipitamment :

— Jésus, Marie, Joseph ! Le diable a volé les cheveux de ma femme ! Il a choisi les cheveux de ma femme parce qu'ils étaient roux et violents comme les flammes de l'enfer ! Il les a choisis pour les jeter dans son brasier impur ! Les cheveux de ma femme ne sont plus sur sa tête, mais sous ses pieds ! Les cheveux de ma femme ne sont plus pour moi, mais pour les damnés ! Si je veux retrouver les cheveux de ma femme, il faut que je meure et que je renaisse en Satan !

— Hélas ! geignait Clarissou. Et les larmes coulaient de ses yeux dans sa bouche, et elle portait ses deux mains inertes à son crâne rasé.

Certes, elle n'avait cédé que ses cheveux au barbier démoniaque, mais une parcelle de son âme ne l'avait-elle pas quittée avec sa toison ? N'était-elle pas moralement divisée, n'avait-elle pas déjà, sinon un pied, du moins des cheveux en enfer ? Appartenait-elle encore à Peyrelevade ?

1. Les barbiers devaient obligatoirement laisser à leurs clientes deux mèches de cheveux, deux *cadenettes*, qu'on ramenait sur le crâne en guise de frange ou de toupet.

S'appartenait-elle encore à elle-même ? Appartenait-elle encore à ce monde ?

— Barnabé ! s'écria-t-elle en tombant aux pieds de son mari, il faut que tu me sauves !

Barnabé Peyrelevade la releva d'un main ferme. Sa bouche était soudée par une volonté terrible. Ses sourcils étaient noués comme des queues de rat. Et il y avait des gouttes de sueur qui brillaient au-dessus de ses lèvres.

— Clarissou, dit-il d'une voix sourde, nous allons tâcher de retrouver ce diable aux environs de Lagraulière et nous lui ferons rendre les cheveux qu'il t'a indignement volés !

Il était une heure et demie du matin lorsque le ménage Peyrelevade arriva sur la place de Lagraulière. Les maisons dormaient — façades de lune bleue et toits glissants. Le clocher divisait le ciel en deux parts égales. Toutes les étoiles flottaient à la surface calme du monde. On respirait un air jeune qui donnait le vertige. Devant l'église, s'ouvrait un champ de bataille glorieux fait de tréteaux abandonnés, de barriques renversées, de lambeaux de viande, de rognures d'étoffe et d'immondices commerciales. Clarissou et Barnabé s'arrêtèrent devant l'estrade où le barbier diabolique avait tondu la jeune femme. Les planches étaient vides. Seul demeurait le fauteuil de velours qui offrait à l'immensité nocturne le modelé fatigué de son siège.

— Comment retrouver mon bourreau, à présent ? dit Clarissou.

Mais Peyrelevade humait une piste, remuait du pied une touffe de cheveux d'or bloquée entre deux cailloux.

— Nous l'aurons ! grogna-t-il.

Et, saisissant Clarissou par la main, il se mit à courir aussi vite que le lui permettaient sa bedaine énorme et ses cuisses courtes et flasques.

Ils quittèrent le village au petit trot et s'engagèrent sur la grande route. De temps en temps, maître Peyrelevade s'arrêtait, cueillait dans la poussière une mèche lumineuse comme une flamme, et reprenait sa course en maugréant.

Combien de temps dura cette randonnée ? Ni Clarissou ni son mari n'auraient su le dire. Ils traversèrent un bois de ténèbres feuillues et d'odeurs fraîches, coupèrent à travers des champs aux ondulations marines, dépassèrent les falaises médiocres d'un village, gravirent une colline mouvante, redescendirent dans une vallée d'herbe haute où chantaient les grenouilles.

Ils parvinrent enfin aux abords d'un hameau misérable enlisé dans la terre noire. Et là, le gros Peyrelevade s'immobilisa, pointa un index vengeur et cria d'une voix terrible :

— Le voilà, l'impur !

A la lisière du hameau, le barbier bossu se hâtait, cassé en deux, une besace sur l'épaule.

Peyrelevade le rejoignit en trois bonds massifs et lui porta la main au collet :

— Halte !

Le diable tourna vers lui une face affreuse et lasse. Ses yeux filaient à droite, à gauche, comme ceux d'une bête forcée. Une haleine verte sortait de sa gueule informe.

— Tu es pris, canaille ! lui dit Peyrelevade.

Et l'autre soupira :

— J'ai laissé passer le douzième coup de minuit. Il me faut donc attendre la nuit prochaine pour disparaître du monde commodément et selon les règles de mon état.

— Rends-moi les cheveux de ma femme.

— Je ne les ai plus.

— Où sont-ils ?

— Dans les entrailles de la terre. J'ai pu les y jeter et n'ai pas su m'y jeter moi-même.

Il paraissait désolé de sa maladresse. Il devait être un diable débutant, un sous-ordre du Malin, et, pris au piège, il semblait plus pitoyable que méchant.

Peyrelevade le secoua comme une défroque et lui cracha en pleine face :

— Si tu as pris les cheveux de ma femme, tu dois pouvoir les lui restituer !

— C'est ce qui vous trompe, monsieur, geignit le diable. Dans notre monde comme dans le vôtre, il est souvent plus facile de faire que de défaire.

— Soit, gronda Peyrelevade ; eh bien ! je vais te montrer, moi qui ne suis pas un diable, comment on défait une ordure de ton espèce.

Et il lui appliqua une gifle pesante sur le museau.

— C'est ça, frappez-moi, pleurnicha l'autre, si cela peut vous soulager dans votre colère !

— Non, non, ce n'est pas par les coups que je t'aurai, dit Peyrelevade.

À ces mots, il se redressa de toute sa taille et fit un signe de croix dans l'air tranquille. Aussitôt, le diable se mit à tousser, à cracher, à miauler et devint tout petit, tout chétif. Sa tête et ses membres n'étaient plus que des excroissances infimes de sa bosse. Ses prunelles minuscules palpitaient comme des vers luisants. Et sa voix fluette venait à travers des espaces de rêve.

— Monsieur, arrêtez-vous... par pitié, par réflexion... Je vous rendrai les cheveux de votre femme... Demain... Demain soir vous les retrouverez...

Ce soir-là, le baron de Saint-Cirgues offrait un dîner solennel aux châtelains du voisinage pour célébrer l'anniversaire glorieux de sa propre naissance. Le pauvre Peyrelevade, épuisé par les émotions de la veille, se dépensait fiévreusement dans les cuisines. Assis sur un siège élevé, entre le buffet et la cheminée, il dirigeait à grands cris le troupeau des marmitons qui tournaient les broches. Il était le cœur même de ce royaume de poêles, de grils, de fers, de soufflets et de lèchefrites. De temps en temps, il se levait pesamment, bousculait quelque happe-lopin énervé, s'avançait vers la marmite centrale, y plongeait sensationnellement sa louche en bois personnelle et approchait les lèvres du potage bouillant. Un grand silence respectueux prenait alors toute l'assistance. Maître Peyrelevade humait le liquide, crachait, revenait à sa chaise et ordonnait d'une voix de tonnerre :

— Laurier ! laurier ! laurier ! Et un soupçon de bouillon d'amandes !

Deux gamins se précipitaient aussitôt vers le dressoir pour exécuter son ordre. Dame Clarissou, le chef coiffé d'une cornette, leur délivrait parcimonieusement les épices demandées. Et maître Peyrelevade reprenait sa méditation.

Son angoisse d'époux frustré se doublait d'une angoisse d'artiste. Il était déchiré entre le désir de retrouver les cheveux de sa femme et celui d'étonner le baron et ses hôtes par l'excellence de sa cuisine. En vérité, le dîner s'annonçait impeccable. Le potage de bisque de pigeonneaux parfumé à l'ambre était un régal. Il serait doublé d'un potage de perdrix désossées et hachées menu dans un lait d'amandes. Dans dix minutes, il faudrait verser le bouillon sur un lit de fromage amolli d'eau de rose et de marjolaine. Le poulet d'Inde à la framboise mijotait ferme et son odeur prenait déjà les narines. Les hâtereaux de veau cuisaient sourdement dans la tourtière couverte. Le pâté de godiveau se dorait doucement au feu. Un rôtissier habillait les faisans et les gélinottes. Et les sorbets étaient à rafraîchir dans la baissière.

Le premier maître d'hôtel entra en coup de vent dans la cuisine et vint prendre les dernières volontés de Barnabé, car Peyrelevade connaissait par cœur l'ouvrage de Pierre David sur les *Instructions familières pour bien apprendre à plier toute sorte de linge*.

— Les serviettes seront pliées en coquille double et frisée !

— Bien, monsieur Peyrelevade...

Le maître d'hôtel disparut, et Peyrelevade se replongea dans ses tourments métaphysiques et culinaires. Par moments, il croyait deviner la chevelure ardente de sa femme au revers d'une bûche, dans la cheminée, ou dans le reflet du feu sur le sol. Il imaginait alors qu'une flamme se détachait du foyer, bondissait au front de Clarissou et la revêtait d'une toison lumineuse. Ou bien, l'affreux bossu se présentait à la porte et offrait une tignasse rousse sur un plateau d'argent. Et s'il ne venait pas ? Et si Clarissou demeurait chauve ?

— Clarissou, Clarissou... Je l'ai perdue, marmonnait Peyrelevade. Elle est femme par le corps et diable par les cheveux...

Il s'aperçut qu'il parlait à voix haute et eut peur, soudain, de sa folie :

— Tournez mieux les broches, happe-lopins de malheur, et arrosez-moi ces rôtis avec un jus plus égal !

La sueur coulait sur son visage, comme au réveil d'un cauchemar. Il s'essuya les joues avec une serviette et but une gorgée de vin. Déjà, les premiers carrosses arrivaient dans la cour. Les roues grinçaient en tournant sur les cailloux du parc. La lumière des torches passait derrière les vitres noires. On entendit des rires de femmes et des voix d'hommes qui leur répondaient respectueusement.

Maître Peyrelevade alla goûter les potages pour la dernière fois.

Par l'entrebâillement de la porte, Barnabé Peyrelevade regarde la vaste salle où la table rayonne comme une pièce d'eau gelée. Plus de cent cinquante convives sont réunis autour de la nappe richement damassée et décorée de corbeilles de jacinthes, de tulipes et de jasmin. La lumière des torches, des lustres d'argent et des flambeaux de vermeil éclate en facettes au flanc des vaisselles pansues et sur les lames nettes des couteaux. Les robes et les justaucorps forment un parterre fleuri aux pétales de soie, de velours, de satin et de moire.

Barnabé songe à ces cent cinquante mâchoires avides, à ces cent cinquante palais desséchés, à ces cent cinquante estomacs creux qui dépendent de lui et dont il va combler l'attente. Il devine, par transparence, derrière ces corsages somptueux, ces pourpoints bouillonnants de dentelles, un régiment de viscères attentifs, installés dans les fauteuils en tapisserie. Il prend conscience de son importance majuscule en face de ces entrailles qu'il a la charge de nourrir. Il est le maître de tous ces ventres de qualité. Et, ce soir, après la réception, M. de Saint-Cirgues le mandera auprès de lui, à l'heure du coucher, pour lui serrer la main. Déjà, M. de Saint-Cirgues, en habit vert, la face cramoisie, se gratte le menton du bout des doigts. C'est le signal.

L'huissier de salle s'avance, une baguette fleurie à la main. L'échanson le suit, tenant les aiguières d'argent. Puis viennent les valets, portant à pleins bras les soupières joufflues, d'où fuit un mince filet de vapeur. Et tous les visages se tournent vers eux, tous les regards les accueillent et les aiment.

L'instant est solennel, culinaire, mystique. Les appétits multiples des convives électrisent l'air délicieusement. Le potage est dans les assiettes. Le parfum des pigeonneaux désossés monte comme l'encens aux narines des hôtes. La joie de la première saveur va étourdir ces muqueuses impatientes.

Enfin, les cuillères garnies s'élèvent. Enfin, des lèvres de barons, de comtes, de vicomtesses, de duchesses et de prélats s'ouvrent pour laper ce breuvage que Barnabé a composé pour eux avec une astuce amoureuse. Il semble à Barnabé que c'est vers son propre corps de roturier que se tendent ces bouches reconnaissantes. Il se sent devenir, dans une ascension grandiose, l'aliment généreux de cette honorable compagnie. Il se donne dans son potage. Il baisse les paupières, comme pour mieux se laisser goûter.

Tout à coup un éternuement unanime, un gargouillis nombreux lui secouent les oreilles. Et il ouvre les yeux sur un spectacle d'horreur.

D'un bout à l'autre de la salle, les convives, suffoqués, congestionnés, hagards, piquent du nez dans leur serviette et crachent en chœur à s'en déchirer les poumons.

Des faces se renversent, des doigts se tendent vers les coupes de vin, des corsages se dégrafent. M. de Saint-Cirgues, le visage enflé comme un ballon, porte la main à sa bouche et en retire un paquet de cheveux roux et gluants qu'il jette sur la nappe. Autour de lui, les invités se soulagent à son exemple. Ils extirpent de leurs dents des mèches trempées de potage et les étalent sur leur manche. Ils toussent convulsivement dans leurs poings. Ils expectorent rageusement à la ronde. Et Peyrelevade comprend enfin l'affreuse malice du barbier. « Je vous rendrai les cheveux de votre femme... Demain... Demain soir vous les retrouverez... »

— Faites venir Peyrelevade, hurle M. de Saint-Cirgues.

Peyrelevade ouvre la porte, fait trois pas dans la salle et s'immobilise devant son maître, au garde-à-vous. Il est très pâle, très calme et tient son bonnet à la main.

— Que signifie ce désastre, Peyrelevade ? dit M. de Saint-Cirgues, entre deux quintes de toux.

Mais Peyrelevade ne répond rien. Il plie les genoux, baisse la tête et s'écroule d'un bloc sur le parquet.

Lorsqu'on le releva, il était mort.

Arthur Machen
Le grand dieu Pan

Félicien Marceau
Le voyage de noce de Figaro

Guy de Maupassant
Le Horla
Boule de Suif
Une partie de campagne
La maison Tellier
Une vie

Prosper Mérimée
Carmen
Mateo Falcone

Molière
Dom Juan

Alberto Moravia
Le mépris

Alfred de Musset
Les caprices de Marianne

Gérard de Nerval
Aurélia

Ovide
L'art d'aimer

Charles Perrault
Contes de ma mère l'Oye

Platon
Le banquet

Edgar Allan Poe
Double assassinat dans la rue Morgue
Le scarabée d'or

Alexandre Pouchkine
La fille du capitaine
La dame de pique

Abbé Prévost
Manon Lescaut

Ellery Queen
Le char de Phaéton
La course au trésor

Raymond Radiguet
Le diable au corps

Vincent Ravalec
Du pain pour les pauvres*

Jean Ray
Harry Dickson
- Le châtiment des Foyle
- Les étoiles de la mort
- Le fauteuil 27
- La terrible nuit du Zoo
- Le temple de fer*

Jules Renard
Poil de Carotte

Arthur Rimbaud
Le bateau ivre

Edmond Rostand
Cyrano de Bergerac*

Marquis de Sade
Le président mystifié

George Sand
La mare au diable

Erich Segal
Love Story

William Shakespeare
Roméo et Juliette
Hamlet
Othello

Sophocle
Œdipe roi

Stendhal
L'abbesse de Castro*

Robert Louis Stevenson
Olalla des Montagnes
Le cas étrange du Dr Jekyll et de M. Hyde*

Léon Tolstoï
Hadji Mourad

Ivan Tourgueniev
Premier amour

Henri Troyat
La neige en deuil
Le geste d'Eve
La pierre, la feuille et les ciseaux
La rouquine*

Albert t'Serstevens
L'or du Cristobal
Taïa

Paul Verlaine
Poèmes saturniens *suivi des* Fêtes galantes

Jules Verne
Les cinq cents millions de la Bégum
Les forceurs de blocus

Voltaire
Candide
Zadig ou la Destinée

Emile Zola
La mort d'Olivier Bécaille

** Titres à paraître*

Achevé d'imprimer en Europe
à Pössneck (Thuringe, Allemagne)
en mars 1996
pour le compte de EJL
27, rue Cassette 75006 Paris

Dépôt légal mars 1996

Diffusion France et étranger
Flammarion